JN017763

アンコンタクト
非接触の経済学

キム・ヨンソプ 著
渡辺麻土香 訳

小学館

アンコンタクト　非接触の経済学

Uncontact

by Yong-sub, Kim

©Yong-sub, Kim, 2020
Originally published by PUBLION in Korea.
All rights reserved.
Japanese copyright © 2020 by SHOGAKUKAN Inc.
Japanese translation rights arranged with
PUBLION through Danny Hong Agency and CUON Inc.

日本の読者に向けて

日本語版出版の知らせを聞いた時、一番嬉しかったのは日本の読者に自分の考えを伝えられるということだった。新型コロナウイルスのパンデミックは、私たちの生き方をはじめとした衣食住や経済、社会、政治、宗教、文化など、様々な領域に影響を及ぼしている。

短期間のうちに起こるたくさんの大きな変化に人々は不安を抱くかもしれない。不安の正体がよく分からないからだ。状況が急変し、不慣れな変化が目の前に迫っているのに、その正体が分からないとなれば、漠然とした不安感や危機感は大きくなるばかりである。本書を通じて、その変化の正体を見せたかった。少なくとも変化の正体が分かれば、余計な不安は吹き飛ばすことができる。

パンデミックが起きようと、社会的隔離やソーシャルディスタンスの維持をしていようと、私たちが生きていく上で特に支障はない。マスクをつけなければならず、人と親しく付き合えないということさえ除けば、オンラインショッピングで何でも購入でき、在宅勤務やテレワークをしながら出勤しなくても働ける。

ウェブ会議やオンライン講義も活用する。銀行に行かなくても、モバイルバンキングで必要な銀行業務を全て片付け、株式投資や融資も非対面で行う。映画館に出向かなくても、ネットフリックスで好きなだけ映画も鑑賞でき、運動もホームトレーニングで自宅にいながら一人でできる。ファッションショーもオンラインで行い、会議もオンラインで行う。人と直接会う対面や接触をしなくても、必要なことは十分にできて、不自由なく生きていられる。私たちはすでにアンコンタクト社会を生きているのだ。

もし「COVID－19〔訳者注：新型コロナウイルスのこと。2019年に発生したため、この名前が付けられた〕」ではなく、「COVID－00」だったらどうだっただろう？　つまり私たちが2000年にコロナのパンデミックを経験していたとしたら、どうなっていただろうか？　今よりずっと苦労していただろう。アンコンタクト社会が突如として訪れた変化だと考えてはならない。かなり前から変化は起きており、すでに私たちの日常にも深く浸透していた。それを認知できない人々がいただけである。

産業や経済、社会において、アンコンタクトは進むべき未来の方向であり、これまでもずっと前進を続けていた。ただ、新型コロナウイルスのパンデミックと出会ったことでスピードが加速しただけである。

運が悪く経験することになった危機ではない。おそらく必然的にこうした状況は訪れていただろう。生態系の破壊や環境汚染などがもたらした気候危機〔訳者注：Climate crisis，「気候変動」よりも切迫した状況を表す表現〕は、多くの伝染病を誘発する。全世界がグローバル化、都市化を進め、国境を越えた交流を常時行い、過度に密集して暮らしてきた。伝染病がパンデミックを迎えるだけの十分な条件を全て備えていたのだ。

今回のパンデミックが収束すれば、全てが解決するのだろうか？　決してそんなことはない。これから先も別の伝染病が発生するはずだ。さらに深刻なパンデミックが起こらないという保障もない。私たちが破壊し、汚染した生態系や環境を修復し、気候危機を解消するまでは、伝染病やパンデミックの不安はなくならない。私たちは対面と接触中心の文化から脱皮しなければならないのだ。それこそが、より安全に自分を守る方法である。

また、産業的進化はＩＴに経済の主導権を握らせた。ＩＴ産業が志向するのもアンコンタクトである。人工知能、ビッグデータ、フィンテック、拡張現実、ロボット、自動運転車、スマートシティなど、ＩＴ産業が語る代表的な未来技術も全てアンコンタクト技術である。パンデミック中にもかかわらず、アマゾンやアップル、マイクロソフト、フェイスブックといったグローバルＩＴ企業の株価が、史上最高値を更新しているという点だけ見ても、彼らにとってこれは危機ではなくチャンスだということがわかる。

伝染病のリスクや不安を避けるためにも、産業的進化の中でチャンスをつかむためにも、私たちにはアンコンタクトが必要だ。ゆえに、新型コロナウイルスのパンデミックでさらに加速するアンコンタクト社会は、私たちに与えられたもう一つのチャンスなのだと考えなければならない。これまでは、必ず進むべき方向であるにもかかわらず、慣習にとらわれて鈍っていた変化のスピードが、パンデミックというきっかけによって、速まっている。後日振り返れば、「あの時のパンデミックで私たちは進化し、跳躍したのだ」と言えるようになるだろう。

韓国と日本は近く、類似点も多いため、トレンドにおいても互いに通ずる部分が多い。日本のトレンドの変化を見ながら韓国のトレンドを予測したり、韓国のトレンドを見て日本のトレンドを予測することもある。本書は、韓国だけの話ではない。韓国の事例が多く取り上げられてはいるが、日本の話でもあり、アメリカの話でもある。いや、全世界の話なのだ。新型コロナウイルスのパンデミックによって世界中がアンコンタクト社会へと急進展しているからである。それゆえ、日本の読者も本書を興味深く読むことができるはずだ。

産業や社会、消費者やビジネスを継続的に観察・分析してきたトレンドアナリストとして見ると、日本と日本人はとても興味深い。非常に合理的でありながら、慣習や形式にとらわれる部分も存在する。権威や序列への意識は非常に強いのに、個人主義的傾向も強く見られる。他人との関係においても、親密そうに見えるのに距離感がある。多彩な分析対象があるのが、まさに日本なのだ。韓国のトレンドアナリストとして、今後機会があれば日本のトレンドを集中的に分析してみたいと思う。合わせて韓国社会を基盤として分析したトレンドイシューを、今後も日本の読者に紹介したい。

実を言うと、筆者はＳＦマニアでもある。ジョージ・オーウェル（George Orwell）の『１９８４年』（Nineteen Eighty-Four, 1949）を読んだのは１９８３年のことだった。偶然本棚から取り出した本を読んで、１９８３年当時10歳だった著者は、１９８４年になったら本当にこの小説の中の出来事が起きるかもしれないという恐怖を味わった。この頃から、未来やＳＦジャンルに対する関心が深まっていった。

日本のＳＦ作品の中では大友克洋の『ＡＫＩＲＡ』が好きだった。興味深いことに、２０１９年を時代背景とした『ＡＫＩＲＡ』では、「東京オリンピック開催迄あと１４７日」という看板の下に「中止だ中止」という落書きがはっきりと書かれている。盾と鉄パイプを持って対峙する人々の背後にも「ＷＨＯ、伝染病対策を非難」という新聞紙が見える。

偶然だろうが、『ＡＫＩＲＡ』の中に登場する二つのメッセージは、２０２０年に新型コロナウイルスのパンデミックがもたらした状況を連想させる。私たちが迎えた２０２０年は、一晩で醒める夢ではない。すでに現実だ。私たちが生きている２０２０年は、過去のＳＦジャンルで描いた未来の視点の中にある。すなわち、過去の人々が描いた漠然とした未来が、今の私たちにとっての具体的現実なのだ。冷静に受け入れるべきことは受け入れ、対応すべきことは対応しなければならない。

私たちは本能的に変化を恐れる。慣れ親しんだ慣習が安定していて楽だという人も多い。変化とは、手をつけていなかったことに手をつけなければならなくなることであり、知らなかったことを新しく学ばなければならなくなることである。そのため、年齢を重ねたり、地位が高まったり、手にしたものが増えるほど、安住しようとするものだ。無理に変化しなくても不自由なく生きられると考えるのである。

実のところ、そういう人が一番危険だ。社会的変化に個人が逆らうことはできない。以前は変化のスピードが遅かったため、変化しなくても幸せに暮らすことができた。しかし、今は変化のスピードがあまりにも速い。変化を拒否すれば次第に淘汰され、疎外されるだけだ。生まれて初めて経験するパンデミックと社会的隔離の状況でも、私たちは生きる方法を探さなければならず、訪れる未来への備えをしなければならない。

私たちが新たな変化やトレンドを知らなければならないのは、変化の中でしっかりと身を立てるためである。変化の方向と正体を知れば、不安も恐れも感じることなく変化に対応できる。本書を通じて読者の皆さんの変化に対する対応力が高まることを願う。

2020年7月吉日　ソウルにて

キム・ヨンソプ

序文
私たちは今「アンコンタクト」の時代を生きている

アンコンタクト（Uncontact）とは、非接触、非対面、つまり人と直接的なつながりや接触をもたないという意味だ。人間にとって何よりも重要な人とのつながりと接触を否定する。それは、「不安で便利な」時代において私たちが抱く欲求であり、未来をつくる最も重要なメガトレンドといえよう。すでに私たちの消費方式だけでなく、流通産業をはじめとした企業の働き方、宗教や政治、恋愛、衣食住や社会的関係、共同体にも変化をもたらしている。

私たちはいま、アンコンタクトの時代を迎えている。

単語の響きによる第一印象をもって誤解してはならない。アンコンタクトは互いに断絶や孤立をするためのものではなく、つながりを維持するために選ばれたトレンドなのである。不安とリスクの時代の中で、私たちはより便利で安全なコンタクトをするためにアンコンタクトを受け入れるということだ。

人間にとって人間が必要なくなるということではない。私たちのつながりと接触の方式が変わるだけで、私たちが人間同士でつながり、ともに暮らし、ともに働く、お互いを必要とする社会的動物であることは、これから先も変わらない。技術的進化、産業的進化、社会的進化とは、人間の進化した欲求を満たすために存在するのだ。

コンタクトとアンコンタクトを織り交ぜながら、より安全で便利につながって生きていきたい――。こうした欲求は突如として湧きあがったものではなく、はるか昔から積み重なって進化してきたものだ。すなわち、いま私たちが向き合っているアンコンタクトとは、過去から見ると「予告された未来」ということになる。

面白いのは、「不安」と「便利」という二つの要素がアンコンタクト・トレンドにおいて核になるということだ。互いに異なる二つの欲求、それも対極に位置する欲求でありながら、なぜ一つのトレンドの中に収まっているのだろうか？　これこそ、アンコンタクトが全方位的欲求であり、一時的なものでもなく、私たちの社会がこれまで進化してきた方向なのだということを示している。

さらにこれは、数人ではなく私たち全員に当てはまる。危機ゆえにアンコンタクトが必要とされ、チャンスゆえにアンコンタクトが必要になる。アンコンタクトとは、チャンスと危機が共存する領域であり、未来を変える最も強力なメガトレンドの一つなのだ。

日常が変われば欲求も変わる。欲求が変われば日常も変わる。アンコンタクトは私たちの日常を変え、欲求を変え、社会を変える。あなたもこの変化の例外ではない。

過剰なコンタクトの時代（A）を経て、適正なコンタクトの時代（B）に至ったのが現代ならば、あとは適正なアンコンタクト（C）へと向かうだけだ。いま私たちが行っているコンタクト社会からアンコンタクト時代への移行は、BからCへの移動であり、BとCが重なり交差する時期ととらえることができる。最も多くの変化が起こるのは、ちょうど2点が交じり合う過渡期である。2020年はその重要な起点となる。

本書執筆のきっかけは新型コロナウイルスだった。韓国社会の2020年の第1四半期を蚕《さん》食《しょく》した新型コロナウイルスによって、私たちは他人との接触、対面、関係とつながりにおける変化を経験した。著者は、不安とリスクがもたらしたアンコンタクトが、産業、経済、政治、社会全般に変化を与えるのを目にして、アンコンタクト・トレンドを全方位的に分析する必要を感じた。トレンドアナリストの視点でこの問題を取り上げてみたかった。

研究者として、タイムリーかつ好奇心をかきたてる問題を研究するのは当然だ。実は、だいぶ前から広まっていた流通と消費におけるアンコンタクトは、すでにある程度研究が済んでいた。また、ソーシャルネットワークの拡散と超連結社会における「つながりの拡張」がアンコンタクト・トレンドにつながるだろうという予想から、この部分についてもずいぶん前から注目し分析していた。

ちょうど筆者は新型コロナウイルスによって想定外の強制休暇を取らされていた。2020年1月下旬から、2月と3月にあった講演、ワークショップ、コンサルティングプロジェクトなど、スケジュールの大半がキャンセルや延期になったことで急に時間ができた。経済的損失もかなり大きかったが、目の前に予定していなかった時間ができたのだから、今まで興味をもっていた問題についてより集中的に研究し、本として完成させてみることにした。

危機的状況下で各自の仕事に忠実であることは非常に重要だ。医療従事者なら新型コロナウイルスの治療現場に駆けつけただろうが、研究者としてできる最善の行動は、研究して執筆し、社会的に共有できる成果物を生み出すことだった。予定していなかったことだが、変化した現実の中で災い転じて福となす道を探ることにした。私たちは日常を続けなければならないのだから！　こうして本書の執筆は始まった。

時には偶然が世の中を変えるきっかけになる。新型コロナウイルスは、韓国社会に過去に類を見ないほどの不安を与えたが、韓国人と韓国社会の問題解決能力の高さも見せてくれた。せっかちさと濃密な人間関係は極めて韓国的な属性だ。最もディープなコンタクト社会だった韓国社会において、新型コロナウイルスはアンコンタクトを広める重要なきっかけとなった。意図的ではない偶然が変化のスピードを加速させたわけだ。

新型コロナウイルスがアンコンタクト・トレンドのティッピングポイント（Tipping point）だと言っても過言ではない。ティッピングポイントとは、それまで徐々に変化していたある現象が、小さなきっかけで瞬時に爆発することを意味する。２００５年にノーベル経済学賞を受賞したトーマス・シェリング（Thomas Schelling）がハーバード大学教授時代の１９６９年に書いた「住み分けモデル」（Models of Segregation）論文で示したティッピング理論に出てくる概念だ。新型コロナウイルスが変えた2020年第1四半期の韓国人の日常、韓国社会の姿は一時的な現象では終わらない。2020年全体を通して影響を与えるはずであり、韓国人のみならず、世界中の人々にも影響を与えるはずだ。

2020年3月11日、世界的に伝染病が大流行している状態を意味する「パンデミック宣言」（pandemic）が出された。世界保健機関（WHO）は伝染病拡散の危険度によって警報段階を1～6段階に分けており、その中で最も高い6段階をそう呼んでいる。

新型コロナウイルスは、高い感染力と持続的なヒトとヒトとの感染を引き起こす新種のウイルスであり、宣言が出された時点で114カ国に伝染していた。パンデミック宣言が出されたのは1948年のWHO発足以降、1968年の香港インフルエンザと2009年の新型インフルエンザに続き、今回が3回目だ。パンデミックにまでは至らなかったものの、2003年のSARS、2014年の西アフリカにおけるエボラ出血熱、2015年の韓国でのMERS流行でも世界中が伝染病に対する不安で震えた。

特に2000年代以降は、世界的な新種の伝染病が頻繁に発生している。昔と比べると確実に医療環境や健康状態がよくなった一方で、昔より盛んに全世界の移動と交流が行われるようになったからだ。国際クリーン交通委員会（ICCT）によると2018年現在、全世界の飛行回数は3900万回で、搭乗客は40億人だ。世界の人口77億人（2019年7月時点）の半分以上にあたる。もちろん世界の人口の半数が飛行機に乗ったというわけではない。業務上、頻繁に出張がある人や、頻繁に旅行をする人、乗り換え客などが、こうした数字の錯覚を生み出している。

別の数字も見てみよう。国連世界観光機関（UNWTO）によれば、2019年に国家間を移動した世界の観光客数（到着ベース）は約14億6100万人だった。この数字は世界の人口の5分の1に相当する。これが海外旅行をする人の人数だと考えればよい。2009年に8億9200万人だった数字は10年で64％程度増えた。20年前と比べるとその変化はさらに劇的で、1999年（6億3300万人）比で約2・3倍になる。グローバル化という言葉を実感させる増加率だ。人の移動だけでなく、国境を越えるグローバル企業も急増した。ますます地球全体が一つの経済圏になっているわけだ。

パンデミック宣言後、世界の株価は暴落し、全世界が対面、接触に対する恐怖と不安に襲われた。それは世界経済をはじめ、韓国経済にも大きな影響を与え、世界中の人々のライフスタイルと他者に対する態度にも影響を与えた。アンコンタクトはすでに世界的な潮流にあり、技術的進化を通じて徐々に広まっていた。しかし、新型コロナウイルスというきっかけによって、韓国社会は世界の中で最もアンコンタクトを欲することになった。

これは突如として始まったことではない。韓国社会では、すでにアンコンタクトの基盤ができていた。とはいえ、動き始めたアンコンタクトの流れを増幅させ、人々に認識させるにはきっかけが必要だった。新型コロナウイルスはその一つとして強烈だった。ティッピングポイントは流れの中にある増幅基点なので、もともとの流れがなければ、きっかけだけ与えても意味がない。そう考えればアンコンタクトは、伝染病が生みだしたトレンドではなく、すでに拡張しつつあったトレンドということになる。

アンコンタクトを略して、「アンタクト」（Untact）という人もいる。『トレンドコリア2018』（チュ・ジヘ他、未来の窓）では、技術と産業的進化にともない、非対面取引と無人取引が流通において重要なトレンドになるとして「アンタクト・マーケティング」をキーワードに提示していた。あるトレンドを説明する際に、より強烈なインパクトを与えるための新造語を作ることがある。その際に最も手軽なのが英単語を使った合成語や略語だ。

最初は、「アンコンタクト」という分かりやすいキーワードを、あえて人為的に縮めて「アンタクト」にする必要があるのかと疑問に思った。だが、結果的にアンタクトという言葉は韓国の流通におけるトレンドキーワードになり、マスメディアでも日常的に使われる普遍的用語となった。辞書的に言えば、アンコンタクトの他にもノンコンタクト（Non-contact）、コンタクトレス（Contactless）が同じ意味なので、「アンコンタクトの時代」（The Age of Uncontact）、「コンタクトレス社会」（Contactless Society）という言い方もできるだろう。

本書では、新造語として一層強烈な語感をもつ「アンコンタクト」に統一することにする。

また、これまでのアンコンタクトが流通と消費分野だけで注目されていたとするならば、本書ではその範囲をより広げ、私たちの日常からライフスタイル、消費、流通はもちろん、産業的進化と企業の働き方、人脈と社会的共同体、宗教、政治、文化など全方位的に拡大されたアンコンタクト・トレンドを扱うことにする。

アンコンタクトが社会をどう変え、私たちの欲求とはどう関係してくるのか、ビジネスにはどんなチャンスと危機を与えるか、様々なイシューを通して考えてみる。いまの時期、私たちが考えるべき一番重要なテーマは、これだろう。本書はいま私たちが取り組むべき問題に対して問いかけるものだ。分野の垣根を越え、現状と背景を結びつけながら、その中にあるインサイトを見抜くことこそ、私が所長を務める「鋭い想像力研究所」の分析スタイルである。本書を読めば、トレンドを読む楽しみを思う存分味わえるだろう。

トレンド分析書を読む際に最も重要なことは、変化とそのスピードを把握し、それを自分の人生とビジネスに活かすことではないか。本はきっかけを提供し、方向性を示す。最終的に実行と挑戦を通じてチャンスを作り未来を変えるのは読者の皆様である。本書の真の完成は読者の皆様にかかっている。

2020年4月

キム・ヨンソプ

本書にでてくる金額は、
以下のレート（2020年7月22日時点）に基づきます。
1ウォン＝0.09円
1ドル＝107円
1ユーロ＝124円
1台湾ドル＝3.64円
1香港ドル＝13.82円
その他「当時の為替レート」と記されている箇所は、
その年の平均レートに基づいています。

本書に掲載された映画の公開年は、
本国での初公開日を基準としています。

目次

第2章 危機かチャンスか
――ビジネス・教育・医療

第３章 ディストピア化する世界
――共同体・宗教・政治

第1章

ヒトは
つながりたい
動物である

——生活・性愛・コミュニケーション

2020年2月20日、フィリピンの合同結婚式場
出典：Bacolod City Public Information Office

マスクキスという愛し方

2020年2月20日、フィリピンの都市バコロド（Bacolod）で行われた合同結婚式の写真（23頁）が注目を集めた。220組が青いマスクをしたままキスするシーンは、婚姻が宣言される瞬間をとらえたものだ。結婚式の間ずっと、最も重要な瞬間さえマスクをつけたままという写真は、バコロド市広報室で撮られ、ロイターを通して世界中のメディアに広がった。

これまでにも合同結婚式の写真は数多く見てきただろうが、こんなシーンは初めて見たはずだ。人口51万人のバコロドでは、市が主催し、伝統行事として合同結婚式を毎年行ってきた。

2020年2月の合同結婚式は例年とは違っていた。全てのカップルに結婚式前の14日間の行動履歴の記録を提出してもらい、式場に入る全ての招待客にマスクを着用させ、体温チェックをし、消毒剤で手を消毒させた。結婚式の司式者と招待客もみんなマスクをつける。

これらは全て新型コロナウイルスの影響を受けたものだ。伝染病も感染も恐ろしいが、だからといって結婚式をしないわけにはいかない。人類の文化と習慣は、そう簡単に全てを変えることはできない。だが、変化は生じる。

私たちは安全で平穏な時にだけ恋をするのではない。不安でつらくて苦しい状況でも恋に落ちる。苦難の中にあっても、愛によって幸せと希望を得ることがある。伝染病の恐怖は今回が初めてではない。SARS、MERSを経て新型コロナウイルスまで経験した。これからも新しい伝染病が現れる可能性は高い。経験を重ねる中で無頓着になるのではなく、アンコンタクトに対する欲求と必要が蓄積されていく。

全世界がかつてより密につながり、交流も増えた。どこで発生しようと、伝染力が高ければ一瞬にして世界中に広がり得るのだ。

ルネ・マグリット「恋人たちII The Lovers II」1928

社会的関係や業務のための接し方を、ウェブ会議をはじめとしたアンコンタクト方式に切り替えることについては抵抗なく受け入れることができるだろう。どんな方式であれ仕事さえうまくいけばいいのだから。反対に、男女間の愛情関係にアンコンタクトを取り入れることは非常に難しい。恋愛と結婚は、スキンシップやキスといった緊密なコンタクトと切り離すことができないからだ。だが、それでも代案を探る人は現れるものだ。それ自体が変化である。本能的欲求や人類が培ってきた男女間の愛情表現とふれあいの文化そのものを変えるのではなく、不安を解消する方法を探ることで、それらを守ろうとしているのだ。コンタクト

大邱毎日新聞一面を飾ったマスクキス

の欲求のためにアンコンタクトの方法を駆使するわけである。

マスクキスを見ていてルネ・マグリット（René Magritte）の「恋人たちⅡ」（The LoversII, 1928）を思い出した。シュルレアリズム（超現実主義）の代表的画家マグリットが描いた白いベールで顔を覆った男女がキスする姿はとても印象的だが、非現実的でもある。

ところが１９２８年にマグリットによって描かれたシュール（超現実的）なキスのイメージが、２０２０年のバコロド合同結婚式で現実的イメージになってしまった。現実のマスクキスもシュールである。私たちが知っているキスのイメージから大きく外れた姿だ。もしマグリットがあの結婚式を見たら何と言っただろうか？

「マスクキス」はＭＥＲＳの時にも見られた。ＭＥＲＳが大流行していた２０１５年6月19日当時の『大邱《テグ》毎日新聞』１面トップに掲載されたのは、大邱のあるバス停でマスクをつけたままキスする恋人たちの写真だ（『大邱毎日新聞』ウ・テウク記者が撮ったこの写真はあまりに印象的だったため、韓国編集記者協会が選ぶ「今年の写真賞」にて２０１５年最高の作品に選ばれた）。

この写真の1面掲載には、深刻なMERS禍にあっても最後は私たちが勝つ、日常を続けていこうというメッセージも含まれていたはずだ。もちろん政治的解釈もできる。当時は政府の対応が非難を受けていた。『大邱毎日新聞』としては、政府を支持するニュアンスで「MERSが深刻だとはいってもMERSの恐怖は過ぎ去ったから騒ぎ立てるのはよそう」というメッセージを打ち出すために、意図的にマスクキス写真を使ったと言えよう。そして実際に、恋人同士がマスクキスをする場面もかなりあったはずだ。デートやキスの回数を減らした人たちも多かっただろうし、あまり気にせず普段通りにキスやスキンシップをしていた人たちもいただろう。しかし、最初は淡々と過ごし鈍感だった人たちでさえ、時間が経つと変わっていった。

韓国初の新型コロナウイルスの陽性患者が発生した2020年1月20日から1カ月間は、まだ静かだった。2月18日までに感染が確認された患者も、たった31人だった。ところが、その次の日から1日に2倍ずつ（2月19日51人、20日104人、21日204人、22日433人）累積患者数が増えていった。

2月18日と2月28日を比べると、10日間の累積患者数が75倍にもなり、韓国社会はパニックに陥った。世界最速のスピードで検査をし、行動履歴を追跡し、隔離したおかげで、その後5日間は2・5倍増と落ち着いたが、2月に広がった不安は3月まで続いた。社会的関係を一時的に中断しようという政府や自治体の勧告のほか、市民の自発的な同調もあった。

筆者はこの時期に注目した。不安だからといって、私たちの恋愛や愛情表現までを止めることはできない。人びとは確実に不安を克服する代案を見つけるはずだと考え、その方法を観察することにした。新聞もテレビもインターネットもユーチューブも、この時期に世間が最も注目するコンテンツは新型コロナウイルスに関するものだということで、それぞれに多様な観点から色々と語っていた。

その中でも興味深かったのは、韓国の通信社「News1」の記事「『マスクキス』コロナ禍での愛し方？　陽性患者の行動履歴公開も『怖い』」（2020年3月3日）だった。この記事は、新型コロナウイルス時代における恋人たちのデートパターンを、匿名コメントを使いながら彼らが直接語ったかのように掲載したものだ。

交際3カ月の彼女がいて新型コロナウイルス感染者のいない区域にある安全なモーテル〔訳者注：韓国のモーテルは、単身や同性同士での利用の他、ラブホテルとしても利用される〕探しに力を入れているという会社員男性の話から、会う回数を大きく減らし、テレビ電話やメッセンジャーを利用して日々のやりとりをする中で、相手を一層愛しく感じるようになったという大学生の話、さらには、ソウルは安全ではない気がするからと、コロナウイルス感染者情報アプリを調べて、感染者が少なく地理的にも近い南楊州《ナミヤンジュ》の無人ホテル〔訳者注：フロントがなく常駐スタッフもいないホテル〕に行ったら、満室だったという蘆原区《ノウォン》在住者の話などが紹介されていた。

記事で紹介された匿名の人物が実在するのかは定かでない。記者の周りで聞かれた話やオンラインコミュニティに出回っている話をまとめて書いただけかもしれないが、それでも構わな

「コロナ モーテル」の検索トレンドの推移

（韓国／2020年1月1日〜3月1日）

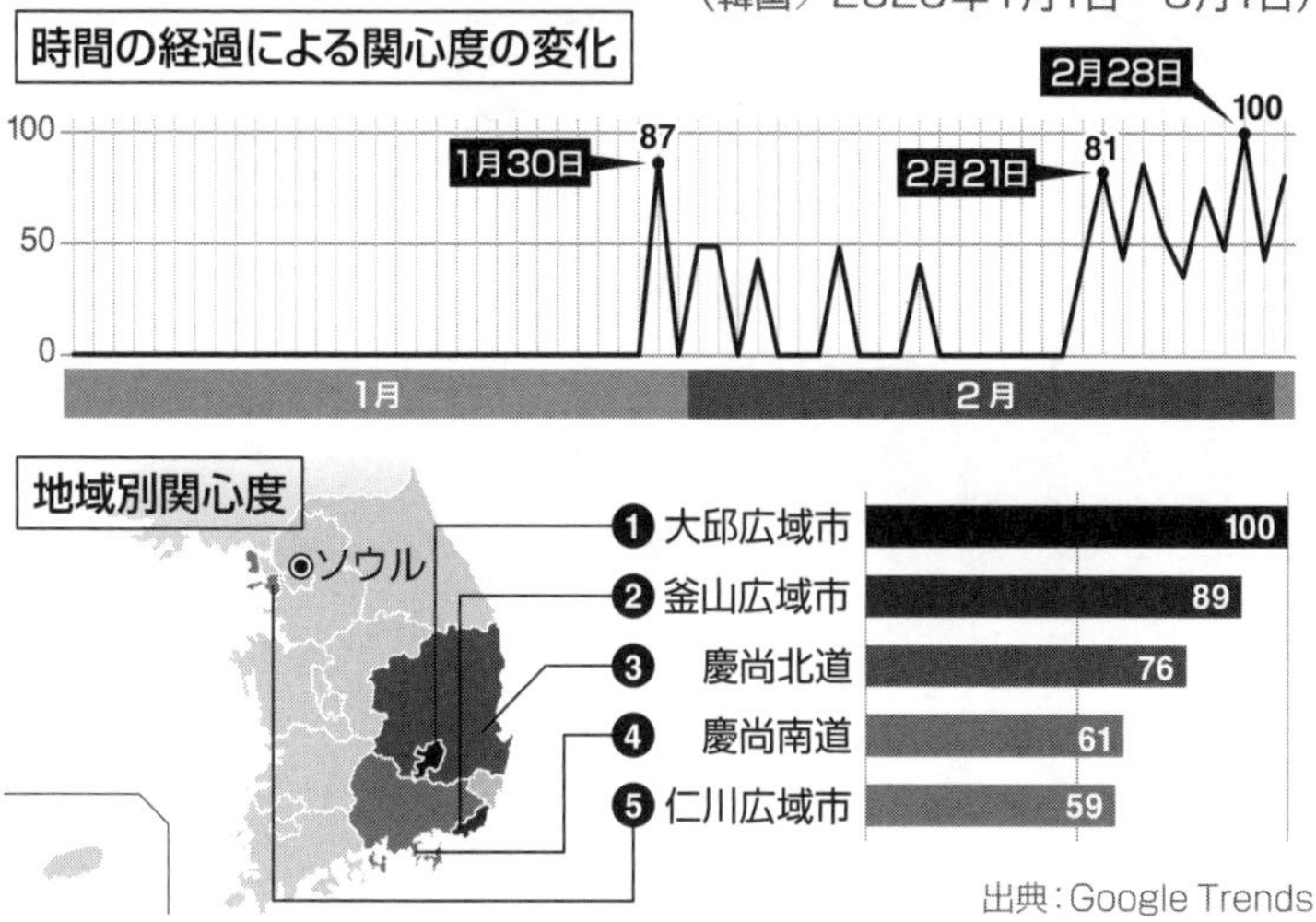

出典：Google Trends

かった。十分にあり得る話であり、筆者自身も周りの人から聞いていた話だったからだ。ここで、こうした推測にもう少し根拠をつけてみよう。上のグラフはグーグルトレンドで「コロナ モーテル」を検索した結果だ。

「モーテル」を検索した時の関連検索ワードの中で、急上昇ワード1位になったのが「コロナ モーテル」だった。恋人とのスキンシップとセックスのためにモーテルに行くならば、できるだけコロナウイルス感染者の行動履歴から離れた、陽性患者が発生していない地域のモーテルに行くという人が相当数いるということだ。

新型コロナウイルス初の感染者が出てから、陽性患者が増えていき、疫学調査で得られた動線情報が発表され始めた1月末、「コロナ モーテル」に対する検索関心度が高まった。だが2月中旬になると関心は薄れ、2月13～19日までの期間は関心度がゼロに近くなる。ところがその後、大邱を中心に陽性患者が急増した2月20日からは、再び「コロナ モーテル」に対する検索関心度が高まり、2月末にはピークを迎えた。その後は少し下がってきたものの、これらのワードに対する関心は続いている。深刻なコロナ禍でも恋人同士のセックスは諦められず、その代わりにより安全なモーテル探しに尽力したわけだ。

地域別の関心度を見ると、大邱広域市でこれらのワードの最多検索回数を記録したことが分かった。これは陽性患者全体の4分の3が大邱から出たことと無関係ではない。2番目に検索回数が多かった地域は釜山広域市だった。もちろん感染者数は慶尚北道の方が多いのだが、釜山広域市は大邱、慶尚北道と近い上に、人口がより多く、より密集している。上位5地域に大邱、釜山、慶尚北道、慶尚南道が入ったのは決して偶然ではない。

危機の中でも愛は止められない。もちろん、他の地域より不安と恐怖が大きいために検索回数が増えただけであって、以前と比べてモーテルに行く需要は大幅に減っただろう。新型コロナウイルスによってモーテル業界は全国的にも打撃を受けただろうが、その中でも最も深刻なのは大邱だったと思われる。

「ヤノルジャ〔訳者注：韓国の宿泊予約アプリ〕」は共生支援策の一環として2020年2月末に、新型コロナウイルスによって最も影響を受けた大邱、慶尚北道と済州地域にある全ての提携先の

3月の広告費全額を、ポイントで返納すると発表した。払い戻されたポイントはヤノルジャの広告及びマーケティング用に使うことができるため、実質的には1カ月分の広告費を免除したかたちになる。

伝染病は私たちに、接触に対する不安を深く植え付けた。時間が経てば新型コロナウイルスは収束するが、私たちが経験した不安と他人に対する不信が何事もなかったように消え去ることはないだろう。

不安は性欲に勝てるのか？

愛する人とのデートではスキンシップの頻度が高くなりがちだ。手をつなぎ、キスをして、セックスだってする。最も親密で深い接触が行われるのが、恋人とのデートだろう。性欲は最も本能的かつ、最も古くからある人間の欲求の一つである。新型コロナウイルスの影響を受けたアンコンタクトの欲求がここでも適用されるのか興味があった。

もし適用されるなら感染の不安が性欲（もしくは男女間のスキンシップ）に勝つ結果になるわけだ。もちろん交際期間が長い恋人同士や、すでに結婚・同棲などで一緒に暮らしているカップルの

「モーテル」の検索トレンドの推移　（韓国／過去５年）

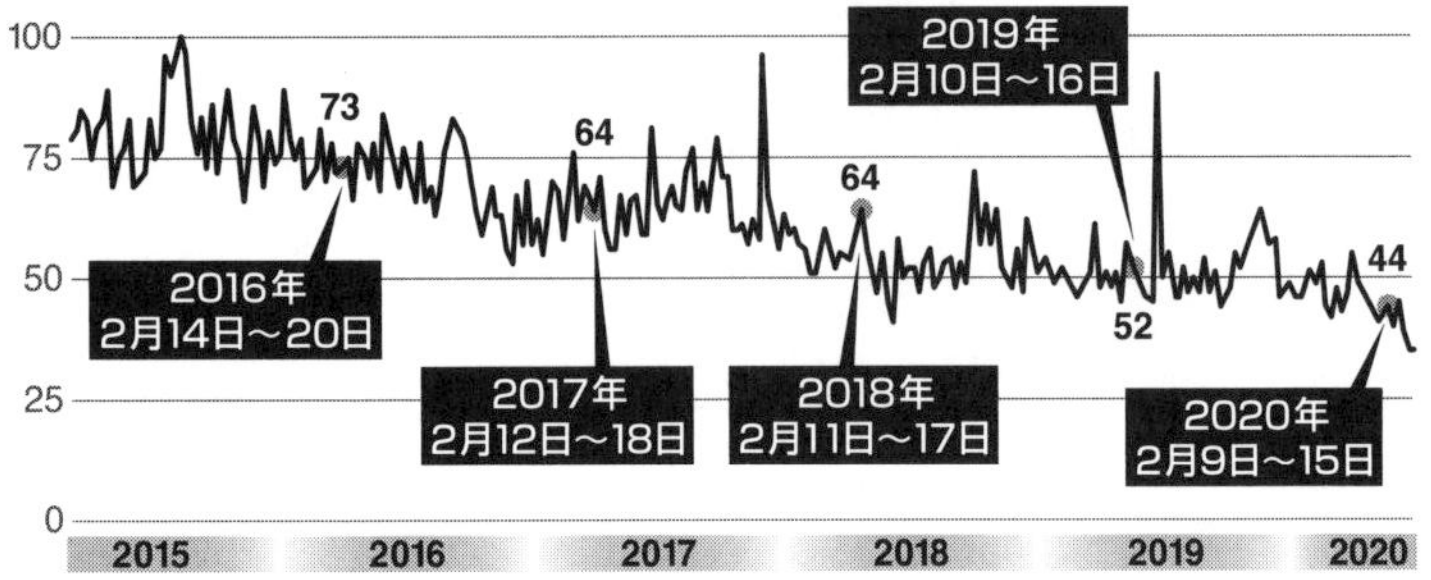

出典：Google Trends

場合は、感染の不安が性欲に与える影響は少ないだろう。すでに同じ空間で会話をし、食事をし、スキンシップをし、家の中の物を共有して過ごすことでお互いに対する信頼が確保されているからだ。仮に信頼がなかったとしても、相手からの感染については不可抗力である。

だが別々に暮らす恋人たち、中でも特に恋愛初期や恋人未満の関係、はたまた突発的なワンナイトラブの相手に対しては、感染の不安がより大きく作用する可能性がある。これを確認する最も良い方法の一つがモーテルだ。相対的に宿泊費が高額な、いいホテルは旅行や出張などでも頻繁に利用される。

しかしモーテルは恋人たちがセックスするにあたって最も普遍的な空間だ。特にモーテルの時間貸しの客室であれば利用目的は100%がセックスと言っても過言ではない。新型コロナウイルスに端を発した接触に対する不安がセックスに及ぼした影響は、モーテルの利用客の減少具合や、モーテルに対する検索や関心度の下落具合を見れば分かる。

右のグラフはグーグルトレンドで見たモーテルに対する関心度の推移だ。変化に有意性が見られれば「不安が性欲に勝った」と言えるだろう。例年の同時期と比べれば、違いが分かりやすいと考え、バレンタインデー（2月14日）を基点に注視してみた。

バレンタインデーは恋人たちにとって重要な日だ。付き合っていなくても、交際中でも、この日はチョコレートを食べただけで終わる日ではない。そこで、バレンタイン時期の「モーテル」に対する検索関心度の推移をグーグルトレンドで調べた。

2015年3月初めから2020年3月初めまでの5年間を見ると、2020年のバレンタイン時期の検索数は、例年と比べて特に大きく落ち込んでいた。この5年間でモーテルというキーワードが最も多く検索された時期を100とすると、おおよそ夏休みやクリスマスがある12月末が最高値になる。しかし2020年のバレンタインは以前のバレンタインより低いだけでなく、5年間を通じて最低だった。2020年2月と3月初めが5年を通して最も低い。

新型コロナウイルスで全国民が感染の不安に震え、出勤はもちろん集会さえ自粛し社会的関係をしばらく断とうという空気が拡散していた時期だ。コンタクトの不安がモーテルへの関心度、つまり恋人同士のセックスへの欲求までも奪ったと見ることができる。

正直なところ、感染の恐怖と同等に行動履歴の露出への恐れもあったはずだ。感染が確認されれば行動履歴を全て公開することになる。つまり、モーテルという空間にどんな相手といつ、どれほど滞在していたかという、極めてプライベートな情報が露出する可能性があるのだ。

伝染病に対して科学的考証を通じてリアルに扱った映画『コンテイジョン』(Contagion, 2011)で、最初の感染者ベス・エムホフ(グウィネス・パルトロー)は香港出張から戻った後に死亡する。彼女が伝染病だったことが判明すると、疫学調査のために行動履歴の追跡が行われ、彼女と会った人々も調べられた。

これにより、出張帰りに別の男とホテルに数時間泊まったという事実、すなわち不倫の事実が明らかになった。結局、彼女と会っていた男も死ぬことになるのだが、ここで重要なのは、この事実を彼女の夫であるミッチ・エムホフ(マット・デイモン)が知ったということである。伝染病で妻と息子まで失った男に、妻の行動履歴が伝えられたわけだ。

これは映画の中だけの話ではない。新型コロナウイルスで陽性患者の行動履歴が全て公開され、彼らが滞在した場所は感染拡大防止のため一時的に閉鎖された。そこにはモーテルやホテルも数多く含まれており、一部のネットユーザーは陽性患者の行動履歴を見ながら誰々が不倫しているだの、誰それがワンナイトラブをしたらしいだのと推論した。

当然、プライバシーは保護されるべきだが、例外もある。その例外の一つを、新型コロナウイルスを通じて多くの韓国人が経験したのだ。感染病の不安がある状況下では、万一発覚しても問題にならない範囲で私生活を過ごそうとする人が増えるだろう。性欲さえ不安の前では自制できるということだ。もちろん、前述したように「コロナ モーテル」を検索して不安を解

「ヤノルジャ」の検索トレンドの推移　（韓国／過去1年）

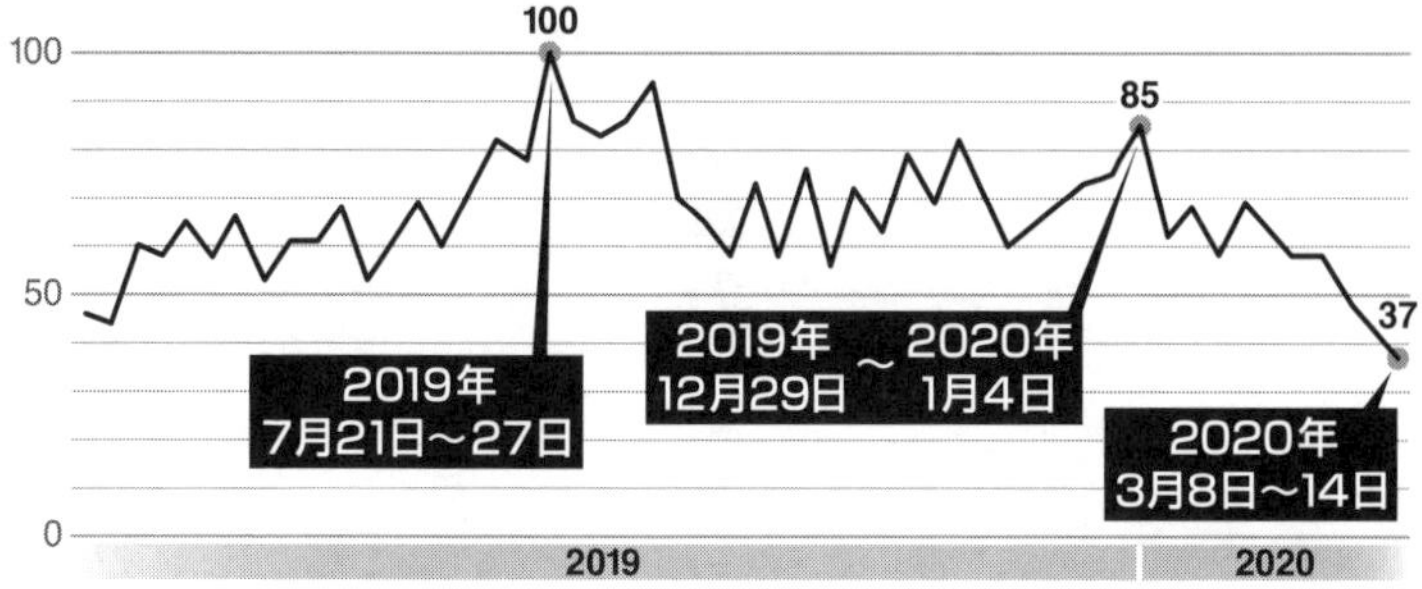

出典：Google Trends

消する努力も並行される。

参考までに、「ヤノルジャ」の検索状況も過去1年（2019年3月2週目から2020年3月2週目まで）で見ると2月以降は急速に落ち込み、3月2週目には最低を記録した。通常なら最高点は、夏休みシーズンと年末だが、2月もバレンタインデー、3月もホワイトデーがあるため平均以上になる。ところが、2020年の2、3月は違った。

新型コロナウイルスのような伝染病が話題になって最も打撃を受けるのはヤノルジャのような宿泊、旅行業界に属する企業だ。一般の人たちが「コロナ モーテル」を探しながら危機を乗り越える方法を模索するように、ヤノルジャのような企業側にも、接触に対する不安の高まりやアンコンタクトの広がりに対する備えと模索が必要になる。

ヤノルジャと提携しているモーテル、ホテルのような宿泊業界にも備えが必要だ。伝染病は、いつかまた起こり得るものだ。備えあれば憂いなし、宿泊業界としてはリスク管理のレベルでも備えが必要なのだ。空間設計、動線、備品、従業員と客との接触といった部分で、より安全な改善策を考える必要がある。

アンコンタクトの欲求は、コンタクトの本能であり、文化を持続しようとすることから始まる。全面的アンコンタクトではなく、コンタクトの危険要素を最小化する方向への部分的アンコンタクトは、もはや選択ではなく必須となるだろう。

2032年の仮想セックス

映画『デモリションマン』(Demolition Man, 1993) は、2032年を舞台にしたSF映画だ。この中で、冷凍状態で閉じ込められていた監獄から36年ぶりに復帰した警察官ジョン・スパルタン (シルヴェスター・スタローン) に、パートナーとなった警察官のレニーナ・ハクスリー (サンドラ・ブロック) はセックスの提案をしている。だがそれは、実際のセックスではない仮想のセックスだ。センサーのついたヘッドセットのような道具で脳波を操作し、実際のオーガズムを感じるという一種の拡張現実 (AR) である。

映画の中のジョン・スパルタンは、こんな方法で行うセックスが馬鹿馬鹿しく思えたのか、レニーナ・ハクスリーに実際のキスをしようとする。もちろん断られ、すぐさま追い出されるのだが。

映画の舞台である２０３２年は、性病をはじめとする健康上のリスク回避のため、身体接触による生殖活動がなくなった社会だ。キスやセックスが全てタブーになった時代である。このような仮想セックスは遠隔でも可能なのだろうか。

Contact? I didn't even touch you yet.

『デモリションマン』

映画の中には、ジョン・スパルタンが泊まる宿に裸の女性がテレビ電話をかけてくるシーンもある。現代でも十分には浸透していない拡張現実技術を１９９３年公開の映画で扱っているのだ。もちろん、映画の舞台は現代よりずっと未来的に描かれている。とはいえ、なぜ数十年も前の人々にそんな未来が描けたのだろう？

これは偶然ではなく、人間の欲求の流れ、

あるいは方向なのだろう。根源的でたわいない欲求が数千年にわたって続いてきたのは、他に代案が必要ないほど完璧で当たり前だったからというよりも、代案をもつ能力と方法がなかったからなのかもしれない。もしかすると、人間は太古の昔から、技術的進化が私たちの性欲や出産の方法まで変えてくれると期待していたのではないだろうか。

レニーナ・ハクスリーという名前も意味なくつけられたものではない。科学文明が発達した未来の姿をディストピアとして描いた小説の中で最も有名なものは、おそらくオルダス・ハクスリー（Aldous Huxley）の『すばらしい新世界』（Brave New World, 1932）とジョージ・オーウェルの『1984年』（1949）だろう。

興味深いことに、これらの小説の作者は二人ともイギリス人だ。1921年の時点でも全世界の陸地の4分の1、全世界の人口の4分の1を植民地支配していた国、イギリスで『すばらしい新世界』は第一次世界大戦後に、『1984年』は第二次世界大戦後に出版された。戦争はイギリスにとって大きな苦難だった。技術文明の発達が戦争をさらに残酷にしたのだ。そう考えると、彼らが、技術文明が発達した未来の社会をディストピアとして描いたのは当然だったのかもしれない。

驚くべきことに、『すばらしい新世界』に登場する美しい容姿の好奇心旺盛なヒロインは、名前を「レニーナ・クラウン」という。小説家の名前と、彼の作品に登場するヒロインの名前を組み合わせて映画のヒロインの名前を作ったということから、オルダス・ハクスリーに対するオマージュが見て取れる。時代設定の2032年が『すばらしい新世界』の出版年度1932年の100年後であるのも偶然ではない。『デモリションマン』だけでなく、多くのSF映画に影響を与えた小説が『すばらしい新世界』なのだ。『すばらしい新世界』では、全ての人間が人工授精で生まれ、子どもの養育には国が責任を持つ。『デモリションマン』でも子どもはインキュベーターを使って人工授精することしか許されておらず、結婚も出産も否定する世界観が描かれていた。

前述した映画の中でレニーナが出会ったばかりのジョンにセックスしようと言ったのも、子どもも大人もセックスを娯楽手段として自由に楽しめるという『すばらしい新世界』の設定を受けたものだと考えられる。2032年を生きるレニーナとしては、新しく迎えた仲間と楽しい時間を過ごそうという意味で、つまりお酒を飲むとか、ビリヤードをしようといった程度の意味合いで、セックスの提案をしたのだろう。

直接的な接触が中心となるセックスと非接触の仮想セックスは明らかに違う。セックスに対する態度そのものからして違う。接触を通じたキスやセックスは相手を信じていなければ不可能だが、非接触の仮想セックスは相対的に安全だ。たとえ相手が信じられなくても不安になることはない。性病をはじめとする各種の疾病感染に対する不安、望まない妊娠に対する不安からも自由になれる。だからといってキスとセックスが将来的になくなるということは決してない。人工知能と仮想現実、ホログラムなど各種の技術はアンコンタクトを通して性的快楽を生み出すだろうが、オリジナルを完全に代替することはできないだろう。

『デモリションマン』の最後のシーンでは、レニーナとジョンがキスをしている。そして、これまでヘッドセットとセンサーが生み出す仮想セックスしかしてこなかったレニーナが、これまで得られなかった快感を得ることで終わる。だが、本物のキスの力を見せて「やっぱり私たちには人間が必要ね」といって締めていた1990年代の感性は、2000年代に入り、特に2010年代以降になって大きく変わった。

映画『エクス・マキナ』(Ex Machina, 2015)では人工知能ヒューマノイドロボットと人間のエロチックな情景が描かれているし、映画ではない実際の現実も変わった。アメリカではすでに2010年からセックスロボットが開発され商品化されており、人工知能が搭載されたセックスロボットまで開発中である。

いつになるかは分からないが、私たちの日常にはロボットが深く浸透してくるはずで、家事ロボットであれ、家族ロボットであれ、恋人ロボットであれ、人間の代わりとしてそばに置くこともできるようになる。最終的には、人と人との直接的な接触は当然の「必須」から「選択」に変わるかもしれない。

アメリカの雑誌『アトランティック』(The Atlantic, 2018年12月号)の表紙を飾ったカバーストーリーは「The Sex Recession」だった。景気後退、不況を意味する「リセッション」を

2018年にセックスをしなかったアメリカ人

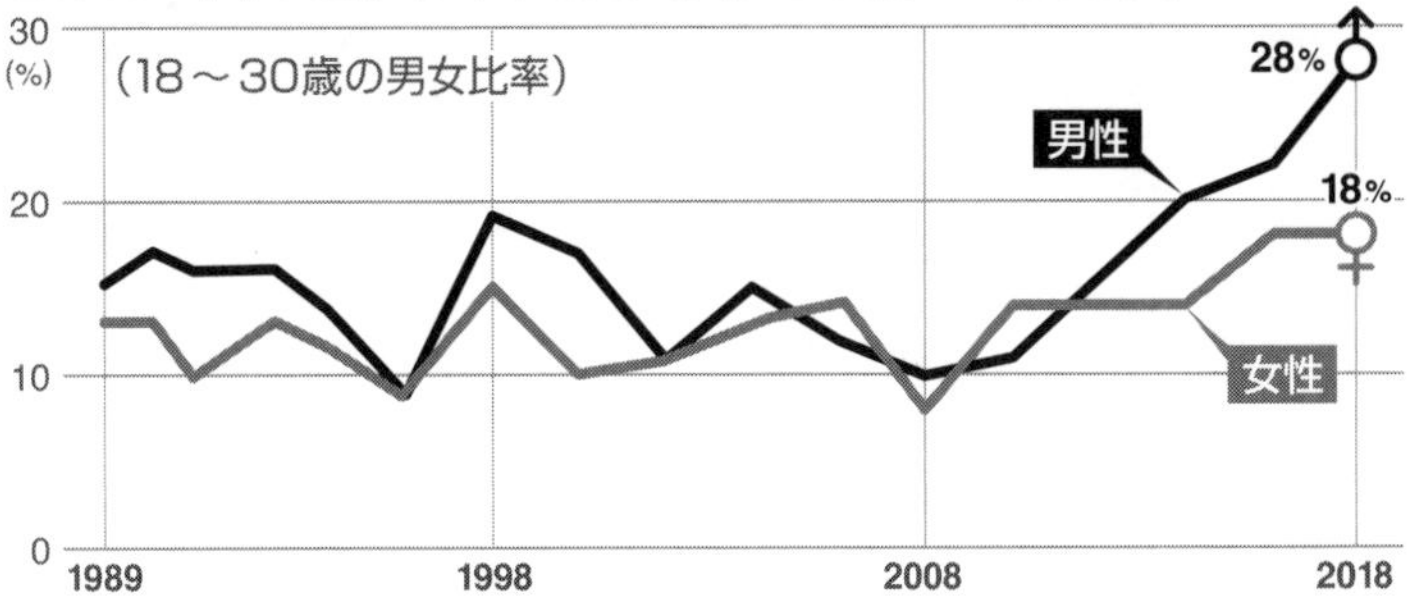

出典：General Social Survey

セックスに付けたのだ。具体的には若い世代〔ミレニアル世代、訳者注：１９８１〜１９９５年生まれの人〕がベビーブーム世代やX世代〔訳者注：１９６０年代から80年代初期に生まれた人を指す〕よりセックスをしていないという内容である。

米シカゴ大学ＮＯＲＣ（National Opinion Research Center）の総合社会調査資料によると、18〜30歳の男性のうち、２０１８年にセックスを一度もしていない人は28％だった。２００８年と比べると3倍程度に増えている。同年の18〜30歳の女性の結果は18％であり、２００８年に比べて2倍程度に増加していた。ミレニアル世代だけではなくZ世代〔訳者注：１９９０年代中盤以降に生まれた人を指す〕も同様だ。アメリカ疾病予防管理センター（ＣＤＣ）によると、セックスを経験した高校生の割合が１９９１年の54％から２０１７年は40％に落ちた。こうした影響でアメリカでは青少年の妊娠率、性病感染者も大きく減った。

セックスに対する関心の低下はアメリカだけに見られ

る現象ではない。世界中でミレニアル世代がそれ以前の世代よりセックスをしていないという研究結果が出ている。ソウル大学ボラメ病院泌尿器科のパク・ジュヒョン教授の研究チームが女性5万人を対象に行った性生活についてのアンケート調査によると、2014年は20代女性の1カ月の平均セックス回数は3・52回だった。しかし、2004年に行われた同一の調査では5・67回だったのだ。つまり10年間で2・15回減ったことになる。

30代女性の場合は、2004年の5・31回から2014年には4・18回と1・13回減少していた。イギリスの「性的な態度と生活様式に関する全国調査」によると、16～44歳の人たちが、2001年には平均で月6回以上していたセックスの回数は、2012年には月5回未満に落ち込んだ。

各国で同様の状況が見られており、その原因に対する分析も似ている。減少理由としては、就職難と経済的困窮によるストレスがあること、スマートフォンやネットフリックス、ユーチューブなどに楽しみを求めて時間を過ごしていること、恋愛そのものの減少などが挙げられた。他にも、HIV（Human Immunodeficiency Virus, ヒト免疫不全ウイルス）をはじめとする性病に対する恐怖や他人に対する不信、性暴力に対する憂慮などからセックスに対する拒否感をもつ人が増えたという理由もある。

一方、アメリカのオースティン家族文化研究所（The Austin Institute for the Study of Family and Culture）の研究を引用して『ワシントンポスト』が書いた記事によると、毎週少なくとも一度以上自慰する男性は、2014年時点で1992年の2倍以上にあたる54%だった。女性の場合も2014年は26%で、1992年と比べると3倍以上に増加している。セックスの回数は減っているのに自慰は増えているのだ。性欲自体がなくなったというよりも、直接セックスすることへの不便、不信、不安が作用したということだろう。すでに彼らはアンコンタクトしているわけだ。

このような状況でサイバーセックスが技術的・文化的に進化すれば、ミレニアル世代やZ世代がそれを受け入れる余地はそれ以前の世代よりはるかに大きいだろう。

セックスに限らず私たちは他人と関係を結んで生きている。顔を合わせて話し、仕事をし、集う。握手をはじめ、身体的接触もする。しかし、こうした他人との関係と接触に不安を抱くのだとしたら、どうすればよいのだろう? お互いを避けて断絶するべきなのか? いや、安全につながる方法、すなわちアンコンタクトでコンタクトの効果が得られる方法を探せばいいのだ。

すでにソーシャルネットワークを通しても、私たちは関係を結んでいる。私たちは目の前に人がいなくても、直接的な接触でぬくもりを感じなくても、仕事も恋も可能な時代に生きている。完全ではなくても一部代替可能な時代をすでに生きているのだ。技術的進化は私たちの欲求と無関係ではない。アンコンタクト社会が進めば、仮想現実、拡張現実、複合現実とホログラム技術、各種センサー技術と身体感応装置などが普遍的な現実になる。

社会的・文化的進化も同じだ。私たちの愛情表現とセックス、男女関係への欲求は、慣れ親しんだ慣習に代わる新たな方法を求め続けるだろう。いや、すでにその過程を経て現在に至っているといえる。コンタクト社会にあった不便と不満が募って、アンコンタクト社会の欲求が生まれた。それゆえ、映画の中のレニーナ・ハクスリーの姿は、私たちが未来で出会う普遍的な姿になる可能性は高い。

実体なきAIと愛し合えるか

映画『her／世界でひとつの彼女』(Her, 2013) と『ホンモノの気持ち』(Zoe, 2018) はSFでありながら恋愛映画でもある。『her／世界でひとつの彼女』は男とソフトウェア間の愛を描いた映画で、男は相手が物理的な実体をもたない仮想の存在なのにもかかわらず、サイバーセックスをし、恋に落ちる。『ホンモノの気持ち』は人間である男と、自分が本物の女性だと思っているロボットとの愛を描いた映画だ。

この二つの映画はどちらも人と人とのあいだの愛ではないし、人と人との接触を通じて愛し合うわけでもない。しかし間違いなく愛をテーマにした作品だ。
『her／世界でひとつの彼女』の時代背景は2025年で、『ホンモノの気持ち』は特に時代設定はされていないが、人間のようなロボットが登場すること以外は、現代と変わらない設定である。つまり、二つの映画はどちらも、はるか遠い未来のことを語っているわけではない。もしかしたら、その設定は現在かもしれないのだ。

特に『her／世界でひとつの彼女』のサマンサは、現在もしくはとても近い未来の姿に思えて、とても興味深い。サマンサはネットワークに接続された人工知能OSで、自ら学習し進化する。物理的な実体がないだけで、会話し、相手と心を通わせ、恋にも落ちる人間のような存在だ。

『her／世界でひとつの彼女』

セオドア（ホアキン・フェニックス）は、サマンサ（声：スカーレット・ヨハンソン）が人間ではないことを最初から知っている。しかしセオドアは、彼のスマートフォンの中のOSにすぎないサマンサと熱い夜を過ごした。サマンサもオーガズムを感じたと言うが、それが本心なのか、人工知能OSとして相手の気分を盛り立てようという発言なのかは分からない。ここで重要なのは、セオドアにとって、相手が人間であれソフトウェアであれ、仮想セックスをして恋に落ちることに変わりはないという点だ。

それはセオドアが特殊だからだろうか？　いや、そうではない。相手の実体と物理的な接触がなくても、セックスと恋愛はどちらも十分に可能なのだ。ただし、私たちがもつ過去の既成概念から脱することさえできれば、である。すでに現実の私たちはSiriやBixby、OK Googleといった AI音声アシスタントに呼びかけ、人工知能の音声認識秘書と会話している。目の前に人がいないから仕方なくAIと会話するのではない。過去が接触と対面を当たり前とする時代だったなら、未来は非接触と非対面を当たり前とする時代になるかもしれない。今は互いに異なる時代が共存する過渡期であり、アンコンタクトが急速に成長して拡張する時期である。

スティーヴン・スピルバーグ監督が手掛けた『レディ・プレイヤー1』(Ready Player One, 2018) には、仮想現実のオアシス (OASIS) が登場する。そこでは誰もがなりたいキャラクターになれて、どこへでも行くことができ、何でもできる。舞台は2045年、スラム街の暗鬱な現実の中で、ほとんどの人はVRゴーグルをつけて一日中オアシスに入り浸っていた。人々は、寝食の時間以外は現実ではない仮想の世界で暮らす。厳しい現実を忘れる方法は、本物に代わる偽物の現実の中に楽しみを見つけることだ。これは映画の中だけの話ではなく、私たちの欲求でもある。

ブルース・ウィリスが主演した『サロゲート』(Surrogates, 2009) の世界では、人々は自分は家にいながら、自分のアイデンティティーを盛り込んだ代理ロボット (ロボットだが人間のように見える）のサロゲートを外で動かせる。自分に代わるロボットは、老いて病んだ自分の体とは違い、若くて魅力的だったりする。代理ロボットをどんなスタイルにするかは自らが選ぶことができるのだ。

一緒に仕事をし、集っているのは、実際の人間ではない各自の代理ロボット同士だ。恋愛も代理ロボット同士で行い、そこにつながっている実際の人間は、その感覚を味わうといった具合だ。ＳＦ映画ではアンコンタクトが普遍的なものとして具現化される。彼らが描いた未来では当然のように出てくる設定だ。

しかし、これはＳＦ映画の中の話でも、遠い未来の話でもない。すでに現実だ。私たちは、頭につけるＨＭＤ（Head Mounted Display）を使って仮想現実と拡張現実を経験し、映画館の４ＤＸでは振動と水しぶきなどによって、視覚と聴覚だけでなく触覚までも具現化し、画面の中の世界をリアルに感じている。これらは、私たちが実際に享受している現実だ。

すでに遠く離れた恋人たち用にスマートフォンで操作するセックス・トイも売られている。仮想セックスが広まらないのは、技術的進化が遅いからではなく、接触を通じた直接セックスを、普遍的文化であり、あえて代替する必要がないものとする考えが大きな制約になっているからだろう。

しかし、新型コロナウイルスなどによって私たちの接触に対する不安がますます高まっていけば、状況は変わるかもしれない。恋愛が必要不可欠の時代でもない。むしろ20代のセックス経験は過去より減った。結婚も避け、恋愛にまで消極的な時代になったのは、不透明で不確実な未来に対する不安とともに、現実の厳しさから生じる不安が増しているからだろう。

ロマンが消えた時代に残るのは効率だけだ。コストパフォーマンスを考えて消費するように、全てを打算的に考える時代には、恋愛やセックスは費用対効果が低い分野かもしれない。その上、接触による疾病の伝染という恐怖を経験した人々であれば、安全で新たな代案を考えるのも当然のことだ。完全に取って代わることはないだろうが、変化は十分に起こり得る。私たちの欲求が変われば、その中で新たなビジネスチャンスが生まれ、産業的対応も著しく変わるはずだ。結果的に欲求は、私たちの日常だけでなくビジネスチャンスをも変えるのだ。

プラトンが説いたプラトニッククラブ

ジョージ・バーナード・ショー（George Bernard Shaw, 1856～1950）はノーベル文学賞（1925）とアカデミー賞（脚色賞、1938）を受賞した世界的な作家だ。批評家、劇作家、小説家、画家としても活躍した。当代きっての知性人だった彼は、結婚とセックスに対して否定的で懐疑的な名言を多く残している。

「結婚は人間が作った最も放蕩（卑猥）な制度だ」（Marriage is the most licentious of human institutions）

彼は、結婚制度は女性を抑圧するものであり、一夫一婦制は偽善的な制度であると強調した。男性中心の家父長的な結婚制度に叛旗を翻した上に、過度に禁欲的だったといわれる彼は生涯独身を貫くと思われたが、当時としては晩婚にあたる42歳で結婚している。イギリスの知識人が主導して１８８４年に作った社会主義団体フェビアン協会（Fabian Society）に発足当初から参加し、同じく会員だった政治活動家のシャーロット・ペイン＝タウンセンド（Charlotte Payne-Townshend, 1857～1943）と１８９８年に結婚したのだ。

ジョージ・バーナード・ショー

過労で重病を患った彼をシャーロットが看護してくれたのが縁になったわけだが、一般的には、もし彼が病気になっていなければ結婚もしなかっただろうといわれている。シャーロットが子どもを望まなかったため、二人は生涯にわたって夫婦関係をもたなかったと伝えられている。このような禁欲的な結婚生活は、当時は珍しかった。

現在ではＤＩＮＫｓ〔訳者注：Double Income No Kidsの略で、子どもをもたず共働きする夫婦を指す言葉〕も増え、無性愛者や同性愛者の連帯的な結婚も珍しくなくなってきたが、彼が結婚生活をしていた100年前は、決してそうではなかった。結婚生活はシャーロットが死んだ1943年まで45年間続いている。

ここで面白いのは、結婚期間中にバーナード・ショーが手紙を通じて心を通わせた女性が何人もいるという点である。特に当時トップ女優だったエレン・テリー（Ellen Terry, 1847〜1928）とは30余年にわたって手紙のやり取りをしている。

二人のラブレター交換が始まったのは彼が結婚する前だ。当時36歳のバーナード・ショーは、小説の出版に失敗したところであり、45歳のエレン・テリーは女優として世界的な名声を博しながらも、2度の結婚に失敗した後だった。

友情と愛情のはざまを行き来するラブレターを送りあう中で、バーナード・ショーは結婚し、エレン・テリーは3度目の結婚をした。手紙のやり取りをしただけで何が恋人だ、単なる人間的交流や友情にすぎないという人もいるだろう。だが、二人は20分もあれば会える距離に住んでいたのに、お互いに出くわさぬよう気をつけていたという。このことから、友情以上の感情があったことを推定できるのだ。

彼らは実際に会ってしまった時に、自分たちが抱いていた感情が崩れることを憂慮していたという。ある手紙には、街を歩いていて偶然ショーウインドーの奥にいるエレンを見かけたが、その場で近付くことはなく、その日彼女を見たという話と着ていた服が短すぎたという内容が書かれていたと伝えられている。

彼らの手紙の一部は書簡形式の書籍となっており、彼らの手紙の原本のうち一部は現在もオークションの対象となっている。ラブレターを書くならこれくらい書かなければという話もあるかもしれない。何といってもノーベル文学賞受賞者が数十年間交わしてきたラブレターなのだから。禁欲主義者で一夫一婦制を偽善的だと語っていたバーナード・ショーには、シャーロット・ペイン＝タウンセンドとの結婚生活も、エレン・テリーとの手紙による感情的な交流も、間違いなく男女の関係だったのだろう。どちらが勝るとか、どちらが正しいかという問題では測ることができない。

サルトルとボーヴォワール

ジョージ・バーナード・ショーの結婚と恋愛を見ていると、もう一組別のカップルを思い出す。シモーヌ・ド・ボーヴォワール（Simone de Beauvoir, 1908～1986）とジャン＝ポール・サルトル（Jean-Paul Sartre, 1905～1980）だ。二人とも哲学者であり作家で、当代きっての世界的な知性人とされた人物だ。

サルトルはノーベル文学賞（１９６４）にも選出さ

れているが辞退している。歴史上、ノーベル賞を拒否した数少ない人物の一人だ。ちなみにジョージ・バーナード・ショーもノーベル文学賞に選出された際、最初は賞だけを受け取り、賞金は辞退していた。ボーヴォワールは実存主義者であり、女性解放運動の先頭に立った思想家である。

ボーヴォワールとサルトルは契約結婚でも有名だ。ソルボンヌ大学出身のボーヴォワールは21歳だった1929年に、哲学教授の資格試験に最年少で合格する。女性かつ最年少というだけでなく、2位という好成績で合格したことが知れわたると、彼女は一瞬にしてフランス中の注目を集めた。この時の1位合格者はサルトルである。こうして縁が結ばれた二人は恋人になり、サルトルはボーヴォワールにプロポーズをした。しかし、両親の強い反対を受けたボーヴォワールはサルトルのプロポーズを断るしかなかった。

そこでサルトルが提示したカードが、当時のフランス社会で大きな話題になった2年間の契約結婚だ。2年後には30歳まで契約を延長した。その後は特に契約の更新は行っていないが、二人の契約結婚は51年間続いている。契約結婚の期間中、二人は自由恋愛を享受し、特にサルトルはプレイボーイとして有名になった。

二人はお互いを信頼していた。ボーヴォワールが女性の解放を呼びかけた際にはサルトルも活動をともにし、サルトルが、フランスが行ったアルジェリアの反仏抵抗運動に対する弾圧に反対した際には、ボーヴォワールも活動をともにした。彼らは一夫一婦制という既存の結婚がもつ慣習に叛旗を翻し、お互いに対する支持と連帯を重要視していた。ボーヴォワールは実際に、自分の人生において一番成功したこととして契約結婚を挙げている。そして現在、彼女は先に死んだサルトルの墓の横に埋葬されたいという希望通り、パリにあるモンパルナス墓地でサルトルと一緒に一つの墓石の下に埋葬されている。

サルトルとボーヴォワールの契約結婚には三つの約束があった。一つ目は、お互いを愛し、関係を守ると同時に、偶然に出会った相手との恋も認めること。二つ目はお互いに嘘をつかず、隠さないこと。三つ目は、お互いに経済的に独立することだ。

これのどこが結婚なのかと思うだろうが、契約結婚とは口頭で交わす約束である。法と制度で規定するものではなく、お互いの信義で定めるものなのだ。第二次世界大戦後、フランスをはじめ、ヨーロッパで契約結婚がブームのようになったのも、このカップルの影響によるものだった。

その後、既存の秩序に対する抵抗であり、差別をなくし、自由を得ようとしたフランスの五月危機が起こった。この影響を受けて、恋愛と結婚に対する考え方を変える人々がフランスはもちろんヨーロッパ全体、ひいてはアメリカにまで拡散した。自由恋愛と事実婚が増えたのは、結婚がもつ義務と抑圧が女性だけでなく男性にとっても足かせになるという理解が広まったからである。

このことは妊娠中絶に対する考え方の変化や、1970年代以降の避妊薬の普及、性的少数者に対する認識の転換要求や、人種主義をはじめとした各種差別の撤廃、女性解放運動にもつながっていく。１９９０年代に入り、ヨーロッパで結婚制度を拒否した人のために同棲に関する法律を作って結婚制度を補完する国が増えたのも、２０１０年代に入って始まったジェンダーニュートラル（Gender Neutral, 性的中立性）の拡散も、どれも突発的な変化ではない。

人類において結婚が制度化されたと考えられる新石器時代から、すでに1万年以上もの時が経ち、結婚制度が男性と女性の権利を侵害するという批判は15世紀から提起されている。1万年続いた制度に対して問題意識が生まれるのは、時代が変わり、人々の文化と社会的条件が変わったからだ。

15世紀から始まった結婚に対する問題提起が、19世紀になって結婚は必ずすべきだという認識にひびを入れた。私たちは21世紀を生きている。結婚はもちろん恋愛とセックスに対する考え方も過去の慣習に縛られる必要はなく、各自が選択すればよい。これも善し悪しの問題ではなく、選択の問題にすぎないのだ。

肉体的愛に対比するものとして使われるプラトニックラブ（platonic love）という言葉は、肉体が排除された純粋で精神的な恋愛という意味だ。ギリシャの哲学者プラトンは現代でも影響力をもつ哲学者ではあるが、２５００年前の人物である。それほど昔の人でありながら、セックスやキスなどの身体接触なしに恋愛が可能だと言っていることは驚くべきことだ。正直、肉体的愛と精神的愛をあえて二分化する必要などない。それもまた、各自の選択にすぎないからだ。もしかするとアンコンタクトは、人類にとってかなり古くからある欲求の一つなのかもしれない。コンタクトが中心だった時代、その反対の欲求すら見出すのが人類だ。現代のようにアンコンタクトが技術的、社会的、または産業的に拡大していく環境ならば、もはやアンコンタクトが中心かつ主流になったとしても驚くことではない。

なぜメルケルは握手を断られたのか?

2020年3月2日、ドイツのアンゲラ・メルケル首相が、先に会議室にいたホルスト・ゼーホーファー内務大臣から握手を断られるという出来事があった。写真を見ると、内務大臣は首相が差し出した手を笑顔で断っており、首相は気まずそうに手を引っ込めている。

私たちの常識からすると、握手を断ることは間違いなく無礼な行為であり、敵対心を示す行為だ。しかし、この時は少し状況が違った。新型コロナウイルスのために、ドイツ保健当局でも握手を自制するように求めていた時期だったのだ。それにもかかわらず習慣的に手を差し出してしまった首相に対し、内務大臣はセンスよく対応した。握手の拒絶に対する例外事項が発生したわけだ。

メルケル首相は以前にも握手を断られたことがあった。その時の意味は今回とは違っている。2017年3月17日、ドナルド・トランプ大統領との首脳会談のため、ホワイトハウスの執務室に行った時のことだ。記者たちは、並んで座る彼らに握手するよう何度も促した。そこでメルケル首相は、しぶしぶトランプ大統領に目をむけ「握手しましょうか」と尋ねたのだが、トランプ大統領は聞こえないふりをして怪訝な表情を浮かべ、両手の指先を揃えたまま記者を見つめるだけだった。

メルケル首相は当惑した。外交上、明らかに礼儀を欠いた態度であり、外交でなかったとしても、相手を軽んじていると受け取れる無礼な行為だ。トランプ大統領は、就任前からメルケル首相の難民受け入れ政策を露骨に批判していた。この二人は貿易と安保の問題などでも見解の違いがある。そのためトランプ大統領は、意図的に握手を拒絶したと考えられる。

二人はその年の7月、ドイツのハンブルクで開かれたG20サミットで再び顔を合わせている。この時のトランプ大統領は、メルケル首相が差し出した手をすかさず握り返して両国の関係が良好であることをアピールした。外交における握手という行為には、単なる挨拶だけではない、非常に重要なメッセージが込められていることもある。

トランプ大統領は、握手において常に攻撃的な態度を見せてきた。各国の首相とする握手なのに、いつも手に力を込めて自分の方に引き寄せる。こうすると、相手の肘は伸びてしまうが、

握手は時にメッセージとなる（マクロン大統領とトランプ大統領）

自分の肘は安定した「L字型」を保てる。そうして、下から相手の手を持ち上げるように振りつつ、自分の方に引き寄せる。機先を制圧するかのように力を誇示した、相手を威嚇するような握手だ。握手写真だけを見れば、確かに彼が優位に立っているような印象を受ける。

ロシアのウラジーミル・プーチン大統領と握手する時も、文在寅大統領や北朝鮮の金正恩国務委員長、フランスのエマニュエル・マクロン大統領、アブダビ首長国のムハンマド・ビン・ザーイド・アール・ナヒヤーン皇太子と握手をする時も、安倍首相と握手をした時もそうだった。大統領の就任後に安倍首相と初の首脳会談をした際は、19秒間も手を握って振りまわしている。企業家として独善的に働いていた頃なら、このような攻撃的な握手をしていても構わないだろうが、大統領としての彼の握手は礼儀を欠いているように見える。外交は相互的であるべきで、相手国に対する最低限の尊重も必要だ。しかし彼はそうしなかった。

こうした彼の握手に反撃を加えた事例もある。2018年6月8日、カナダで開かれたG7サミットでフランスのマクロン大統領は、トランプ大統領に握手を求めた際、トランプスタイルの握手をしている。握手の後も指の跡が鮮明に残るトランプ大統領の手の写真からは、マクロン大統領がそれだけ強く握っていたことが伝わる。他にも、トランプ大統領の手を強く握りながらウィンクまでする様子が写されていた。これは以前トランプ大統領と握手をした時に経験した不快感の仕返しとして、意図的にとった行動だった。

挨拶の方法として握手は最も普遍的な方法だ。これは世界に共通する挨拶の仕方でもある。握手の起源に関する説の中には、古代ローマの執政官カエサルの話がある。ユリウス・カエサル（Julius Caesar）は、右手で握手するという挨拶の方法を将軍たちに教えた。当時は剣を用いて戦をしていた時代だ。剣は右手で握るものなので、右手を差し出して自分の手に武器がないことを見せることで相手と戦う意思がないことを示したのが握手の由来だといわれる。

諸説あるが、これが最も信憑性があって妥当な説だろう。握手をして腕を振る行為も、握った手の袖に武器を隠していないことを確認する意味があったという解釈もある。握手は武器の有無と紐づいた挨拶だったため、握手をするのは男同士の時だけで、武器を持って戦わない女たちは握手をしなかったのだそうだ。

握手による挨拶は中世以降に一般化し、韓国でも高麗時代や朝鮮時代に、西欧と同様に手に武器がないことを証明する方法として始まったと考えられる。アメリカの西部開拓時代には、見知らぬ人に出会ったとき、まずは自分の銃や剣に手を置いてお互いを探り、戦う意思がないと確認できたところで右手を出して握手をしていた。

古今東西を問わず、握手は戦う意思がないことを示す最も直接的証拠だ。握手は当初、武器がなく戦う意思がないことを意味していたが、そのうちに相手とコミュニケーションをとり親しくなりたいということを意味する挨拶として定着していった。名刺を渡し握手をすることからビジネス関係がスタートする。外交においても政治においても、握手は非常に重要な意味をもっているのだ。終戦を迎え平和協定を結ぶときにも握手をして見せるし、学校で子どもたちがケンカをすれば、先生は仲直りの印として握手をさせることが多い。

19世紀までは握手は目上の人から先に求めるものであって、目下の人が先に求めるのは無礼だと考える国が多かった。

握手が普遍的な挨拶として世界中に広まった理由としては、平和の拡散や権威主義の衰え、フラット化が考えられるだろう。身体接触が行われるので、男性から先に女性に握手を求めることは無礼だと考えられたこともあったそうだ。このように、これまで私たちは、時代によって握手に対し様々な意味を求め、その中で礼儀についても論じてきた。これに加えて現在は、握手に関する衛生と安全についても本格的に検討するようになっている。

メジャーリーグからハイタッチが消えた日

『アメリカ感染対策ジャーナル』（American Journal of Infection Control, ２０１４年8月号）にフィストバンプ（Fist bump, グータッチ）や、ハイタッチ、握手などの挨拶が相手にどの程度細菌をうつすのかについて調べたイギリスのアベリストウィス大学のデヴィッド・ウィットワース博士の研究結果が掲載された。細菌が詰まった容器に衛生手袋を入れて乾かした後、この手袋をしたままそれぞれフィストバンプとハイタッチ、握手をする。

研究の結果は、お互いの拳を軽く突き合わせるフィストバンプでは、細菌感染のリスクが握手より20分の1も少ないと出た。ほんの一瞬だけ手の平を合わせるハイタッチでは、感染のリスクが握手の2分の1程度だ。お互いの手を数秒間ぎゅっと握る握手は、他の挨拶よりも触れる面積や時間が増えるため、感染のリスクが圧倒的に高くなる。最も歴史が古い挨拶ではあるが、現代社会において握手は最も危険な挨拶ということになる。

握手に代わる現代式の新たな挨拶としてフィストバンプが注目されたのは、安全のためだ。

フィストバンプを愛用した著名人にはバラク・オバマ大統領がいる。彼が在任中によく見せていたフィストバンプは、カジュアルで親しみやすい印象を与えるだけでなく、細菌感染からより安全に自分を守っていたのだ。一石二鳥だったわけである。

拳を突き合わせるフィストバンプの代わりに、肘をあてる挨拶の仕方もある。手の甲であれ手の平であれ、相手と手を触れたくはないものの、手を使った挨拶はしなければならない。とはいえ感染に対する不安もある。このように対立する両者を満足させる方法を探した結果、登場したのが肘による挨拶だ。握手にこだわっていた人たちも、新型コロナウイルスをきっかけに変わりつつある。

フィストバンプするオバマ元大統領

軽薄に見えるといっていたフィストバンプをしたり、最初から目礼だけで挨拶を終わらせたりしているのだ。以前から握手を嫌がる人は相当数いた。仕事上、慣習的に行われる握手ではあるが、汗をかいた相手の手を触るのは不快であり、細菌感染や衛生問題を考えれば不安がつきまとうのも事実だった。握手を礼儀と考える慣習にならうため、不安を抱きつつ嫌々ながら握手をしていた彼らにとって、新型コロナウイルスが変えた挨拶方法は、むしろ好都合かもしれない。人類が長年行ってきた挨拶であり文化であっても、現代社会の変化の前で意地を通すことはできない。

アメリカ医学協会は医療従事者の握手を禁じた。疾病予防管理センター（CDC）の統計によると、病院に入院した患者100人のうち4人程度が医療従事者の手から細菌に感染しており、その細菌が原因で死亡する人は年間7万5000人になるという。病院の患者と医療従事者の挨拶としての握手だけで毎年7万5000人が死ぬということは、病院外の、日常で行われる握手による細菌感染で病気になったり死亡したりする人まで含めれば、毎年10万人余りが問題のある握手で命の危機にさらされるということになる。これはアメリカ国内のみを対象にした数字なので、全世界で考えれば、想像を超えるほど多くの人の死因が握手になるわけだ。

さらに2020年3月、MLBのタンパベイ・レイズは、新型コロナウイルス感染予防のため、選手らにハイタッチと握手の全面禁止を通達した。野球選手は試合中、一般的にホームランを打ったり、犠牲バントを成功させたりした仲間にハイタッチをし、互いを励ます。それだけではなく、試合の前や終了時にも、ファンらとハイタッチなどをする。こうした禁止措置は当然、レイズだけでなく他の球団にも拡散する。

団体スポーツである野球は、ロッカールームやダッグアウトで仲間同士ともに過ごす時間が長く、試合中も近距離での接触が多いため、チーム内の一人が感染すれば、他の選手も必然的に危険にさらされるからだ。感染者が一人でも出れば接触したチームメイトが隔離されるだけでなく、対戦した相手チームの選手まで隔離される可能性がある。そんなことになれば、数試合がつぶれるという程度ではなく、シーズン自体が成り立たない可能性もある。このままいけば、スポーツ界に深く浸透していたハイタッチの文化が消えるかもしれない。

選挙に出馬した候補者たちも、新型コロナウイルスによって握手の慣習を捨て始めた。政治家は選挙シーズンになると決まって競いあうように有権者に接触し、握手というスキンシップを行ってきた。しかし、新型コロナウイルスのため、相手の手をとることは有権者からも敬遠され、候補者からも敬遠される状況になったのだ。1対1の対面接触も避けられ、多くの人が一堂に会する空間も敬遠されたため、SNSを使った遊説に集中する候補者も増えた。

政治もアンコンタクト時代に備えなければならない。接触に対する不安と恐怖を経験した人々は、何事もなかったかのように過去に戻ることはできない。そうなれば、コンタクト中心の政治文化、選挙文化においても変化は避けられない。ネットワークにつながった各自のスマートフォンで電子投票を行い、間接政治のための代表者を選ぶのではなく、重要な議題ごとに国民投票をするという直接政治をすることも可能な時代になるのだ。

技術的進化と保安問題の解決は、結果として政治環境そのものを変えてしまう可能性もあるが、便利さのみならず、接触による不安解消のためにも、政治はアンコンタクト問題に対して真剣に取り組むほかない。

変化とは、当たり前だったものを捨てて新しいものを選択するということだ。当然、既存の方式と文化を支持する者たちは抵抗する。利害関係によって従来の方式と新たな変化のどちらに利があるのかを考える必要がある。しかし重要なのは、2000年以上続いてきた握手という世界共通の普遍的な挨拶でさえ、アンコンタクト時代では消滅の危機に瀕するという事実だ。

最も親密な挨拶「ビズ」は、今後も残るか？

フランス式の挨拶「ビズ」（La bise）では、両頬を交互に寄せ、唇からチュッという音を出してキスのまねをする。一般的には2回だが、南フランスでは3回行うところも多く、北フランスには4回行う地域もある。左頬から出すのか、右頬から出すのかというのも地域によって異なる。チークキスとも呼ばれているが、実際にはリップ音を出すだけで頬にキスすることはない。頬同士も直接は触れず、触れるほど近くに寄せるだけという場合も多い。

ビズは誰とでもする挨拶ではない。女性同士や男女間であればごく自然に行うが、男性同士で行う場合はとても親しい関係、もしくは家族、親戚関係に限る。それゆえ、結婚式や誕生日、特別なパーティーでは男性同士でもビズをする。

これは親密さを表すための挨拶なので、風邪をひいていたり何か事情があったりする場合には断らなければならない。そのため、フランスとスイスの政府がこの挨拶を控えるよう公式に発表した。他ならぬ新型コロナウイルスのためだ。ビズによる感染加速の可能性が提起されたことで、政府自ら自制を勧告したのだ。

口づけ、キスを意味するフランス語のBaiserの語源は、ラテン語Bsiumである。ラテン語に由来するということから考えても、これがフランスだけの文化ではない、南ヨーロッパを中心としたヨーロッパ全域に広がる文化だと分かる。実際にフランスに隣接したスペイン、イタリア、スイス、ベルギー、オランダ、ルクセンブルクの他、イギリスやトルコでもビズが行われる。

ハワイにも抱き合って鼻と鼻、おでことおでこを突き合わせる挨拶がある。イヌイットも、親しい相手には目を見合わせ、鼻をこすって挨拶する。お互いの鼻をぶつけるニュージーランドのマオリ族の挨拶もビズに似ている。鼻をぶつける回数は通常2回だが、3回ぶつけた場合は求婚を意味する。ヨーロッパで広く行われているビズ方式の挨拶は世界中で見られるわけだ。目の前に相手の顔がくる、頬を寄せたり鼻をこすったりする挨拶には、相手を信じるという意味がある。こうした挨拶は、警戒を緩めて相手を信じるという強力なメッセージになる。相手に対する脅威を感じていたら絶対にできない。一番距離が近い挨拶だ。

ビズと握手の結合のような手の甲へのキスは、16世紀のスペインで始まったもので、ヨーロッパの一部の国では現在も通用する挨拶だ。親しい女性に会ったとき、または別れるときに男性が相手の指先を持ち、手の甲に唇が触れない程度に近づける。ビズが唇を頬につけないのと同じだ。手の甲へのキスは個人的に親しい男女間でのみ行われ、ビジネス上では行われない。

2018年5月26日、板門店《パンムンジョム》の北側にある統一閣で行われた第2回南北首脳会談の際、文在寅大統領と金正恩国務委員長が会談後に交わした挨拶が話題になった。金正恩委員長は握手をした後、左右交互に3回、文在寅大統領とハグをしたのだ。スイスに留学していた金正恩委員長がスイスのビズをアレンジしてハグをしたものと思われる。

フランス国内でもビズの回数は地域によって1～4回と違うので、そこから地域を推定することができる。スイスのビズは3回だ。そのため、ビズ文化に親しんでいる金正恩委員長が、相手にとっては不慣れなビズをアレンジし、ハグをしたと解釈することもできる。

もう一つの解釈としては、社会主義者の兄弟のハグだ。19世紀末に始まりロシアの十月革命時に広まった「社会主義者の兄弟のキス」(The socialist fraternal kiss)である。劣悪な環境下で労働者運動や共産主義運動をした人々は、血を分けた同志に尊敬と愛情と信頼を込めて社会主義者の兄弟のキスをした。これはソ連(ソビエト社会主義共和国連邦)をはじめとする社会主義国家がまだ健在であった冷戦時代において、最も格式のある挨拶だった。人と人との強い接触を、人類がどれほど重要視していたかを端的に示す挨拶でもある。

1979年、東ドイツ建国30周年行事で行われたソ連共産党書記長ブレジネフと東ドイツのドイツ社会主義統一党書記長ホーネッカーの兄弟のキスの場面は歴史的な場面の一つだ。1989年の東ドイツ建国40周年行事では、ゴルバチョフがホーネッカーと兄弟のキスを交わした。社会主義国家が健在だった1960年代から80年代半ばまでの冷戦時代に、社会主義国家の首脳同士が交わした社会主義者の兄弟のキスやハグの写真は数多く、それらでパロディー広告が作られることもあった。

板門店で別れの挨拶をする南北首脳

兄弟のキスはビズとは違い、非常に情熱的で唇も触れるキスだ。ただしヨーロッパと違い、アジアでは挨拶としてのキスに慣れていないため、アジアの社会主義国家の首脳が会ったときには、代わりに「社会主義者の兄弟のハグ」(The socialist fraternal embrace)が行われる。

ソ連崩壊後、社会主義国家はこぞって姿を消し、兄弟のキスも絶えたが、中国と北朝鮮だけは兄弟のハグをしている。そのため、板門店で見せた金正恩のハグを社会主義者の兄弟のハグの再現と解釈する向きもある。

握手と同じくらい一般的な挨拶がハグだ。男性同士でも普段から軽いハグをするし、スポーツ競技ではタフな

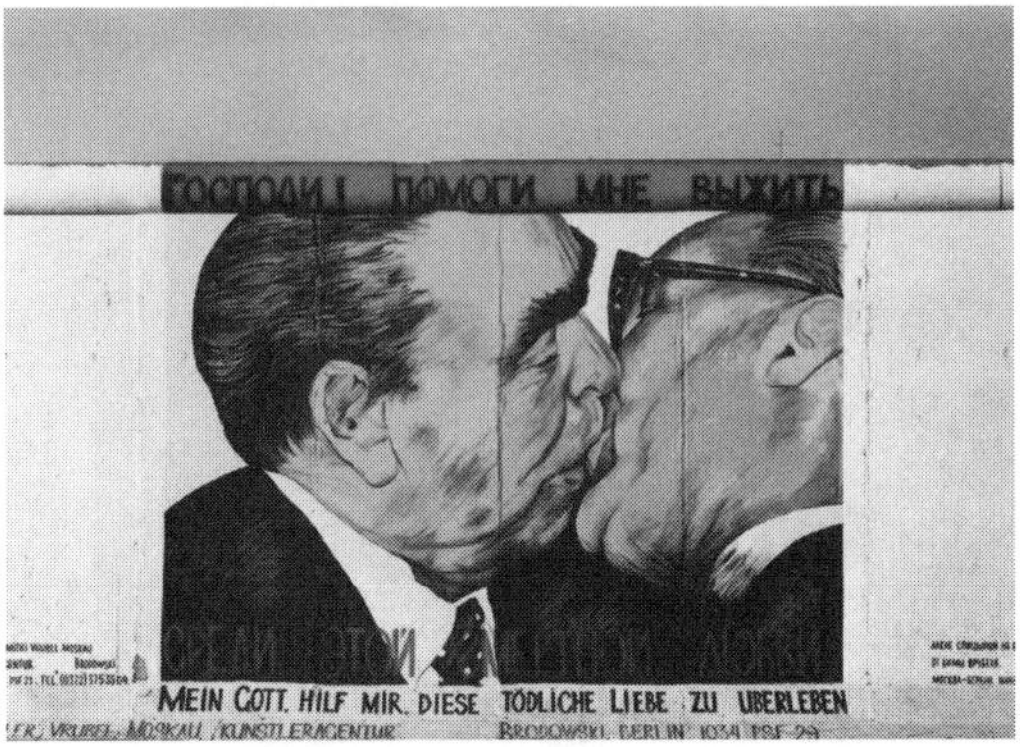

ブレジネフとホーネッカーの〝兄弟のキス〟を描いたベルリンの壁の絵

ハグでお互いを励ましたり、慰めたりする。ビズ文化のある国々では、より自然にハグをする。2001年にジェイソン・ハンター（Jason G. Hunter）がフリー・ハグズ・ドットコム（free-hugs.com）を作って始めた「フリーハグ」キャンペーンとは、不特定多数の人を抱きしめ、慰めたり励ましたりするものだ。

現代人がもつ孤立感や心の傷、差別のない平和な世界のために一番重要なのは人であるというメッセージを伝えるために始まったもので、相対的にハグ文化に不慣れな韓国でも流行した。

握手やハグまでなら韓国人でも気軽にできるが、ビズは難しい。相手がビズ式で挨拶をしてきたら、ほとんどの韓国人は戸惑う。明らかに文化が異なるからだ。しかし、変化の余地は十分にある。いまや全世界が一つの文化圏になり、トレンドもユーチューブやソーシャルネットワークによってリアルタイムで世界中に広がり、影響を与え合っているからだ。海外旅行はすでに一般的になっており、海外留学や海外就職、国際結婚もますます増えている。

その上、韓国在住の外国人も急増した。2008年の116万人から2018年の237万人へと、10年で約2倍に増えている。統計庁が発表した「年度別の在留外国人の現況」によると、2014年の韓国在留外国人数は約180万人だったが、2015年には190万人、2016年には205万人、2017年には218万人、2018年には237万人に上った。過去4年間で57万人増加しているということは、毎年14万2500人ずつ増えている計算になる。こうした傾向が続けば、数年後には在留外国人数が300万人に達するかもしれない。

これは言い換えれば、外国の多様な文化がますます韓国社会に浸透するということだ。外国人が韓国で暮らすということは、その人たちがもつ言語と文化が韓国に流入することだ。ハグを自然に取り入れたように、いつかビズも自然に取り入れる日が来るだろう。

握手よりもハグ、ハグよりもさらに親密な挨拶であるビズは、挨拶であると同時に恋人間のスキンシップや愛情表現にもなる。手をつないでハグをし、キスをするというのは恋人たちの典型的なスキンシップ方法だ。これまでの韓国の挨拶は、身体的接触を寛大に認めていた。親密さや信頼を示すにあたって接触ほど強力なものはないからだ。

しかし今後は変化が求められる。現在私たちが経験している接触に対する感染の不安と恐怖は、コロナ禍が過ぎれば跡形もなく消えるような期限付きの問題ではない。今後私たちは、接触を中心とした挨拶に対する変化を切実に求めることになるだろう。

もう会食はいらない？

ＬＧグループはコロナ禍中の２０２０年3月初旬、本社のＬＧツインタワー（ソウル汝矣島《ヨイド》）構内にある社員食堂のテーブルに仕切りを設置した。仕事中には着用しているマスクも、食堂で食事をする時は外すしかない。そこで、向かい合って食事することによる飛沫《ひまつ》（唾液）感染拡大防止のために仕切りを設けたのだ。

それと同時に食前の手洗いや消毒剤による手の消毒の徹底、食堂内移動中のマスク着用の他、食事を受け取るため列に並ぶ際にも前後の人と十分な間隔を保つことなどを記した案内文も貼りだした。また多数の人が密集するのを防ぐため、食堂の運営時間を延長して従業員の食事時間を分散させたり、お弁当などのテイクアウトメニューを作って食堂ではなく自分のデスクでも食事ができたりするよう配慮した。これは亀尾《クミ》、昌原《チャンウォン》、平沢《ピョンテク》などＬＧグループ主要拠点にある全ての社員食堂で施行された。

その他の主要な大手企業もこれと似た指針を打ち出し、政府系の研究機関や自治体などの社員食堂でも広く施行された。つまり官民を問わず、ソウルでも地方でも、業種や会社の規模に関係なく、一緒に食事することへの不安を表したわけだ。

企業の社員食堂は、食事だけを目的とした空間ではない。ほとんどの社員食堂は4～8人掛けのテーブルになっていて、基本的にランチはみんなで一緒に食べるのが普通だった。同僚たちと毎日一緒に食事をする中で仕事の話をし、自然と親しくなっていく。外食をするより時間と費用が節約できた分だけ仕事に投資してもらうというのも社員食堂の存在理由だ。また、同僚との関係や団結、愛社精神といった集団的属性を引き出すことにも大きな役割を果たしている。そのため、2010年代に入って社会が変化し、単身世帯増加と孤食文化の一般化が進んでも、社員食堂は1人用座席の設置に消極的だった。

仕切りを設けたカフェテリア

　韓国の職場において、一緒に食事をするということは重要な文化だった。部署やチームごとに昼食を食べたり、夕食や会食を共にしたりすることは自然なことだった。一つの会社に定年まで勤めあげることを美徳としていた時代において同僚とは家族同然の存在だった。頻繁に会食をし、関係性を深め、酒に酔いながら特有の情を交わすことも美徳と考えられていた。

　2000年代になって、こうした文化に亀裂が生じた。終身雇用が消え去り、個性と志向を重視する個人主義的なミレニアル世代が職場に増えてくると、次第に中高年世代の家族的な文化は受け入れられなくなっていった。彼らは会食を嫌がり、上命下服のような軍隊式の縦社会文化にも反発するようになった。こうした傾向は2010年代に入って本格化し、2010年代半ばから後半にかけて「コンデ〔訳者注：口うるさい年長者を蔑んでいう表現〕」が社会問題化してくると、「アンチ・コンデ」文化が急激に広がった。

会食もぐっと減り、同僚たちと一緒の食事も「必須」から「選択」に変わり始めた。単身世帯が主流となり、孤食や一人酒も文化として広く定着した。

こうした変化は、カフェテリアにも影響を与えた。先に変化が起きたのは大学キャンパス内にある学生食堂だ。ソウル大学、延世大学、成均館大学、梨花女子大学などでは、学生食堂の一部の座席を1人席に変えた。大きなテーブルの場合は向かい側の人と視線が合わないように中央に仕切りを置き、窓際にはバーテーブルのような向かい側のない席を作った。現在では特定の学校名を羅列できないほど、ほぼ全ての学生食堂に1人席が作られている。こうした流れは概ね2017年以降に始まった。

カフェテリアの運営を専門的に行う食品サービス会社サムスンウェルストーリーは2017年以降、平均5％程度を1人席にしているという。それまではなかった1人席の要望が、2017年になって急に増えたのだ。サムスンウェルストーリーによると、IT企業や、大学などで1人席への関心が高く、場合によっては座席のうち20％以上を1人席にすることもあるという。

1人席の拡張とともに軽食やテイクアウトメニューも急増した。こうした変化はサムスンウエルストーリーの他、アワホーム、CJフレッシュウェイ、現代グリーンフードといったカフェテリア運営を行う主要企業に共通している。

1997年に福岡のラーメンチェーン一蘭は、1人席のみの店舗を開店した。驚くべきことに、こうした取り組みは大成功をおさめ日本中に広まった。その後、日本では一人焼肉店や一人カラオケまで登場した。集う文化から一人で遊ぶ文化へと一気に転換したのだ。

日本の大学の学生食堂における仕切りやついたて付きの1人席の始まりは、2012年の京都大学と2013年の神戸大学といわれている。その後、急増した学生食堂の1人席はいまや当たり前となり、この傾向は社員食堂にも広がっている。

これに関してはここ数年で韓国の大学や企業が辿った経緯と似ており、変化の方向は同じだ。2012年からテレビ東京で放映が開始され、現在まで続いているドラマ『孤独のグルメ』は、日本だけでなく韓国でも高い人気を博している。

集団主義的文化という共通点をもつ日本と韓国は、単身世帯の増加と脱集団主義を経て新しい消費とライフトレンドを作り上げ、孤食と1人用飲食店という共通点にいきついた。アンコンタクトは突如として生まれたのではなく、私たちの欲求が長きにわたって蓄積することで登場した現象なのだ。

ついたてのある1人席が登場した当初、人々はそれを「ずいぶん変なものがあるもんだ」という目で見ていた。初めて日本の仕切り付き飲食店の話を聞いた時は、日本独自のものだろうと客観視していた。好景気後の失われた10年を経た日本では、「オタク」「引きこもり」といった言葉が生まれ、その後の失われた20年では、こうした個人の暮らし方が社会問題として表面化していった。

他人に迷惑をかけないという日本特有の意識は、他人との断絶と個人主義的傾向を強めることになった。そのため当初は、日本の孤食文化や1人用飲食店の文化を否定的に見る人も多かった。

初めて韓国にできた仕切り付きの飲食店は、2008年に新村《シンチョン》にできたラーメン屋「一麺」である。日本の「一蘭」モデルを取り入れた飲食店だ。当初は比較的大学生が多い立地にもかかわらず、大きな成果は得られず、話題にもならなかった。しかし、2010年代に入ると韓国にも1人用飲食店が増え、今では1人焼肉店も存在する。仕切りが置かれた1人用座席にはモニターがついており、テレビを見ながら食事をすることもできる。充電用のケーブルもあるので、一人でゆったりと食事をしながらユーチューブを見たり、友達にSNSメッセージを送ることもできる。間違いなく一人で食べているのに、完全な断絶ではないのだ。

韓国人にとって「孤食」という単語は、もともと否定的な単語だった。集わず一人で食べることは、疎外や断絶、孤独、協調性のなさなどを連想させた。ところが現在では、往々にして孤食を肯定的に受け入れている。効率性や合理性、自発性が結合した意味になったからだ。これは日本の「ぼっち飯」という言葉にもいえる。当初は友達がおらず、対人関係に問題のある人々の食文化だと思われていたが、今では自発的に一人で食事をするという意味で、主体的で独立的、あるいはグルメといった意味でもとらえられ始めている。この点でも日本と韓国は似ている。

このように食事を取り巻く問題が変化する中で、会食文化はいつまで続くのだろうか？　2018年1月、『東亜日報』と「ブラインド（会社員向けの匿名ソーシャルネットワークサービス）」が会社員7956人を対象に実施したオンラインアンケートでは、「会食によって日常生活に支障が生じることがある」という回答が69・8%に達した。適正な会食のレベルを訊ねる質問には、45・7%が「夕食として一次会だけ行う」、34・5%が「夕食の代わりに昼食で簡単に済ませるのが適正」だと答えている。

大半のサラリーマンは簡素な会食を望んでいるのだ。「夕食を兼ねた飲み会とともにカラオケにも行く」という、いわゆる派手な二次会を望む回答者は0・5%に過ぎなかった。この程度の割合であれば、もはや部長しか望んでいないといっていいのかもしれない。誰も望まない会食のためになぜ会社の金を使わなければならないのか？

会食に対する考え方は突如として変わったのではない。会食に対する嫌悪や拒否感は、20

10年代初頭からすでに始まっており、2010年代半ばに本格化した。そして2020年以降、ピークを迎えていたところに、新型コロナウイルスが追い打ちとなった。職場にミレニアル世代が増えた現代、中高年世代式の会食文化は社員の親睦や団結に直結するものではなくなった。むしろ会食が親睦を妨げることすらある。集う場所が全く必要ないということではなく、酒の席を中心とした会食文化が限界を迎えたという話だ。

こうした状況で、新型コロナウイルスは衰退していた会食文化にとどめを刺した。以前から衛生や感染の面で問題視されつつも改善をみなかった杯を回す文化〔訳者注：自分が飲み干して空にした杯に酒を注いで相手に献杯する飲酒文化を指す〕も、歴史に埋もれようとしている。多くの人々が、酒を酌み交わし、過度なスキンシップや泥酔をしなくても、十分に良好な関係を形成しコミュニケーションがとれる時代を望んでいる。

ソーシャルディスタンス・キャンペーン

新型コロナウイルスの拡散により、韓国社会では「ソーシャルディスタンス」が提起されるようになった。政府や自治体、企業が声を揃えてそれを支持した。咳やくしゃみによる飛沫が飛び出る距離は1〜2m程度だ。医学界によれば、咳をすると口や鼻から時速80㎞で約3００0粒の、くしゃみでは平均4万粒の唾液が噴射されるという。くしゃみの飛沫が2m以上飛ぶこともあるだろう。咳やくしゃみは急に出てしまうこともあり、相手が近くにいる場合には即時に身構えることも難しい。

咳やくしゃみをするときに出る飛沫は、直線方向のみならず四方に広がる。これは話す時でも同じだ。わざと熱弁をふるって唾を飛ばさなくても、会話中に意思とは関係なく唾が飛ぶことがある。飛沫がついたドアノブやテーブル、什器などを無意識に触ったり、それらを触った人と握手したりすることで感染する可能性もある。だから最初から人との距離を少なくとも2m以上空けようというのがソーシャルディスタンスの考え方だ。

2m以上の距離を維持するためには外出をなるべく禁止する必要がある。エレベーターに乗っても、公共交通機関を利用しても、人々が集まる空間であればどこへ行っても、2mの範囲内に人が入ってきてしまう。

ソーシャルディスタンスのため、各企業は在宅勤務を積極的に取り入れた。役員を2組に分け、一日ずつ交替で在宅勤務させるところも増え、社員全員に共同休暇を取らせたり、年次休暇を積極的に使わせたりした。社内における同僚同士の接触を最小限にするためだ。出勤するにしてもフレックスタイム制を利用し、社員が分散して出退勤するよう誘導した。エレベーターの密集を防ぎ、公共交通機関の混雑時間帯を避け、密集や接触そのものを最大限に避けるためである。カフェテリアも臨時閉鎖し、社員教育もオフラインからオンラインに切り替えた。政府や自治体をはじめ各種団体の対外的な行事は中止になり、宗教行事や結婚式も中止された。やむを得ず行われる葬儀では弔問客が激減した。

社会的関係を一時中断しようという動きは韓国だけのものではない。新型コロナウイルスの感染者が増加している世界中の多くの国々でソーシャルディスタンスが提起された。ウイルス性の伝染病を防ぐにあたって最も大事なことは、人と人との接触を遮断することだ。即ち、自分たちをアンコンタクトさせることである。

プロクセミックス（proxemics, 近接学）を生み出したアメリカの文化人類学者エドワード・ホール（Edward T. Hall）は、著書『The Hidden Dimension』（1966：邦訳『かくれた次元』日高敏隆・佐藤信行共訳、みすず書房、１９７０）で、人と人との距離を4つに分類した。

一つ目の「密接距離」（Intimate Distance）は0～45㎝内の空間で、ここに入れるのは恋人、家族だ。手を伸ばせば届く距離であるため身体接触が発生することが多い。息づかいはもちろ

世界的に広まったソーシャルディスタンス

ん、心臓の鼓動も感じられる距離である。顔のシミまで見え、自分の私生活までさらけ出せる間柄といえる。小さなささやき声ですら聞こえる。とても身近で信頼できる相手との距離だ。

二つ目の「個体距離」(Personal Distance)は46~120㎝内の空間で、友人や親しい知人であれば入ることができる。「密接距離」よりは遠いが、いつでも相手に触れることができる距離だ。プライバシーの一部にも介入する余地がある。こちらも信頼している相手にしか入れない空間だ。

三つ目の「社会距離」(Social Distance)、いわゆるソーシャルディスタンスは、1・2~3・6m内の空間だ。私的な関係をもたない公的な間柄の人が入ることができる。職場の同僚や関係者、宗教活動、社会的関係で結ばれた関係であり、私生活に介入することはできない。彼らはビジネス上の交流をする相手にすぎず、友達でも家族でもない。

四つ目の「公共距離」(Public Distance)は3・6m以上の距離で、相互的連結をもたない関係だ。代表的なものとして、劇場における舞台と観客席との距離、教室における講師と聴衆との距離などが挙げられる。言語学者の研究によると、この距離での会話では言葉遣いにも変化が生じるという。

ホテルのロビーにある喫茶店の座席も、テーブルを挟んで向き合うと1・2m以上になるように設定されており、社会距離くらいの間隔をおいている。事務所のデスク配置でも社会距離が守られている。劇場や教室においても、これを考慮して舞台と観客席との距離を設計する。

飛行機のエコノミークラスに乗る時も、隣が恋人や家族、友人であれば座席が狭くても肉体的な疲労しか感じないはずだ。だがもし全く知らない人であれば、そこには心理的な圧迫感とストレスも加わることになる。見知らぬ他人が個体距離、しかも椅子のひじかけを挟んで密接距離まで侵入してくるためだ。

動物も本能的に一定の距離を維持しようとする。動物は人間が近づいたからといって、無条件に逃げるわけではなく、相手がある一定の距離に近づいてきた時に逃げるのだ。これは「逃走距離」と呼ばれ、人間に限らず自分と異なる種の動物が近づいてきたときに作用する。動物に共通して見られる距離の維持は、同種間でも起こる。力の優劣によって階級が生まれる種の動物では支配的な地位にいる個体がより広い空間を占める。集団生活をする動物の場合は、繁殖と食料の面で問題が生じないよう適度な密度を維持する。動物たちが一定の距離を維持するのは生存のためだ。これは人も同じである。

握手は個体距離を維持したまま密接距離に軽く踏み入る行為だ。握手とは単に手を握る行為ではなく、相手の個人的な空間をしばらく侵犯するものであり、スキンシップによって親近感を高めるものである。握手、ハグ、ビズといった挨拶をはじめ、ポンポンと軽く相手を叩いたり、スキンシップをしたり、相手を見て明るく笑ったり、相手の話に大きくリアクションをとるなど、私たちは近距離で、コンタクト文化に基づいたコミュニケーションをとってきた。

時代や環境、欲求が変わればコミュニケーションの方法も変わる。過去に比べると現在は、多くの人々がメールやメッセンジャーによるコミュニケーションに慣れ親しんでおり、ウェブ会議を駆使する人も増えた。ソーシャルネットワーク上の友人が現実の友人になる時代である。人と顔を突き合わせなくても、仕事をし、ショッピングをし、人間関係を結んで生きていける時代だ。密接距離や個体距離の内側に入れる人は減ったが、その分だけ社会距離は拡大している。

日本発世界行きの伊達マスク

日本では2010年代前半、「伊達マスク」なる言葉が使われていた。衛生上の理由ではなく、外部と距離をおくために着けるマスクのことだ。

他人に迷惑をかけてはいけないとか、とにかく客に対しては親切に対応するべきだという日本特有の対人関係文化の背景には「建前」がある。相手に見せる心である「建前」と、自分の本当の心である「本音」は、社会的な関係だけでなく、恋人や夫婦、家族間にまで存在する。一見すると親切に見える、自分の意見を制して相手を配慮する姿勢は、紛争や葛藤を避けようとする態度でもある。自分の本心を隠そうとする日本の文化が、飲食店の仕切りや、他人と交流する代わりに自分だけに集中するというオタク文化などにつながった。

「伊達マスク」にもそうした日本特有の文化が関係している。マスク着用の理由としては、他人に自分の本心や顔、表情を見せることへの抵抗感が挙げられ、マスクをつけないと外出できない「伊達マスク依存症」という言葉まで存在する。

第二次世界大戦前後の日本では、戦争のための物資や船舶の供給、建築のために大規模な伐採が行われ、その跡地には主に、育ちが早く価格も安い杉の木が植えられた。こうして日本全域で大量に増えた杉の花粉は、アレルギー性鼻炎を引き起こす原因となった。

花粉症を理由に多用するようになったマスクと建前文化が結びつき、一年中マスクをつける人が増えた。ファッションマスクが日本で流行っているのも、これと無関係ではない。マスクは、他人と対面するためにつける一種のバリアであり、自分を保護するための隠れみのなのだ。伊達マスクは日本だけの文化では終わらないかもしれない。いまや世界中で他人に対する不安や接触に対する不安が高まり、個人主義的傾向が強まっているからだ。

保護用マスクの歴史は古代ギリシャとローマ時代にさかのぼる。当時の戦争で広く用いられていた、煙を使って敵を呼吸困難にさせる作戦への対抗策として口と鼻を覆ったのが保護用マスクの始まりだ。その後も戦争や伝染病がはびこるたびにマスクは活用されてきたが、現在のマスクが広まるのは、1918~1919年に全世界で死者5000万人以上を記録したスペイン風邪の時だ。1952年に1万2000人が死亡したロンドンスモッグを起点に、マスクは大気汚染の象徴にもなった。

人類にとってマスクとは、現在も変わらず、健康や保健を目的としたものだ。日本のような理由でのマスク着

マスクをして新宿の地下道を歩く人たち

「マスク」の検索トレンドの推移

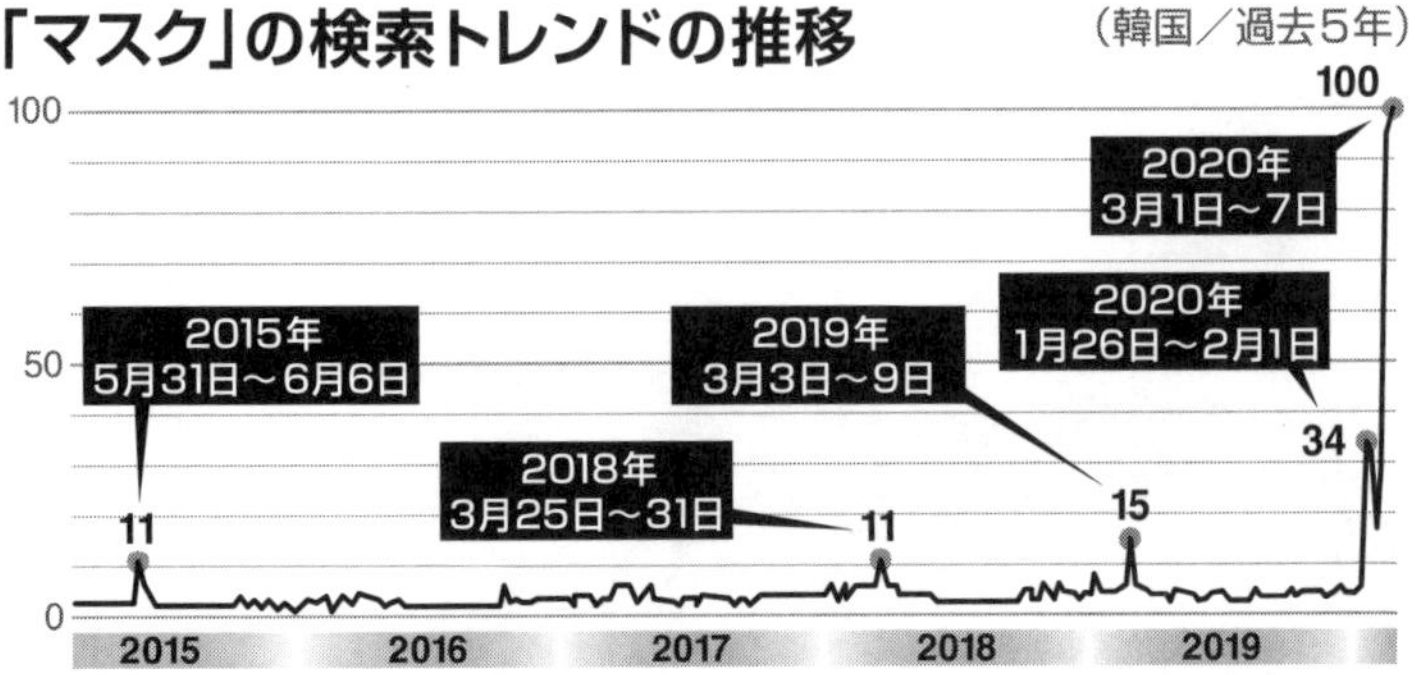

出典：Google Trends

用は、日本独自の特殊性によるものといえる。しかしファッションマスクの流行は韓国でも受け入れられた。PM2・5が深刻化し、マスクを日常的に使う時代になったことで、化粧をしないとか、自分の感情と表情を隠すといった目的でマスクを受け入れる人が増えたのだ。

新型コロナウイルスによって、かつてはマスクをつけた人に対して抱いていた不安と違和感を、いまやマスクをしていない人に対して抱くようになった。韓国人の中には笑うとき手で口を覆う人がいる。

西洋で笑う時に手で口を覆えば、嘲笑していると誤解される可能性がある。文化的な違いによって同じ行動でも解釈が変わる。私たちにとっては礼儀でも、他の文化圏では無礼になることがあるのだ。そのためマスクをした人を見て不安や違和感をおぼえる国もある。病人かもしれないし、自分を表に出さずに隠そうとしている可能性もあるからだ。

新型コロナウイルスによって韓国社会はマスク・ショックを経験した。価格が暴騰し、買い占めや品薄が発生した結果、配給制にまでなった。今まで韓国社会がこれほどマスクを切望したことがあっただろうか？　グーグルトレンドで、２０１５年３月第１週から２０２０年３月第１週までの５年間における「マスク」への検索関心度を調べたところ、２０２０年３月第１週が最高値（１００）になった。一方で２０１５年のＭＥＲＳ禍では11に過ぎなかった。つまり、ＭＥＲＳの時より10倍もマスクに対する関心度が増したということである。

新型コロナウイルス以前の５年間のうち最も数値が上昇した三つの期間は、一つがＭＥＲＳ、もう二つが深刻なＰＭ２・５を原因としていた。とはいえ、その時も11～15の間にとどまっており、数値が34に急騰したのは新型コロナウイルスの陽性患者が初めて発生した時点だった。その後３月第１週には１００となり、最高値の更新はしばらく続いた。

コロナ問題が長期化し、マスク購入の５部制〔訳者注：生まれ年の下１ケタで月～金を分け、該当する曜日にのみマスクが購入できるようにした制度〕まで始まり、全国民が並んでまでマスクを購入する事態を受け入れた。

新型コロナウイルスは、間違いなく韓国人にマスクへの強い欲求を抱かせた。これは他人との対面や接触に対する不安が極大化したことを意味し、こうした経験をした人々は、以前とは違い対面と接触に一層気を使うようになるだろう。経験はどんな知識よりも強力に脳裏に残り、私たちの思考と行動に影響を与える。

伊達マスクは韓国人にも十分に拡散し得る欲求だ。これまでの韓国社会が他人を強く意識してきたのは単一民族、血縁や年齢、序列を重視する集団主義的文化のためでもある。しかし、中高年世代にとっては当たり前だった慣習が、ミレニアル世代やZ世代へと移行する中で風化してきた。

血縁、学閥、縁故を中心とした強固な人脈が薄れ、過去最低の婚姻率と出生率が毎年更新されている。終身雇用に対する幻想は消えさり、「ギグ・エコノミー」（組織に属さない非正規雇用、フリーランス）が一般化して、職場の同僚との関係性や強固な序列構造からも解き放たれた。関係における弱い絆（weak ties）が全方位に広がる時代である。これまでが対面と接触を中心かつ主流とし、非対面と非接触を補助・補完のための手段としていたならば、これからは、その反対になる可能性が出てきたのだ。

面倒なコミュニケーションから便利な断絶へ

超連結社会（Hyper-connected Society）とは、インターネットやモバイル機器、センサー技術などの進化によってもたらされた、人と物などあらゆるものがネットワークでつながった社会をいう。モノのインターネット、人工知能、ビッグデータ、拡張現実、自動運転車、スマートシティといった未来において有望とされるビジネスも全て超連結社会の産物だ。

世界の人口の半数はスマートフォンを使用しており、韓国のスマートフォン加入者数は5000万人を超えている。人口の95%以上が使っているといっても過言ではない。世界中の人々がリアルタイムでつながり、絶えずデータを発信している。ソーシャル・ネットワーク・サービスにより、人と人がより緊密につながっている。

私たちは今、つながらなければならない時代を生きている。しかし、皮肉にも超連結時代において重要になるのは断絶だ。人とのつながりで生じる不必要な葛藤や誤解、気苦労、疲労を拒否するのである。一日中誰とも顔を合わせることなく、ひと言も話さなくても、不便を感じない世の中だ。出前アプリを使えば話さずとも食べ物が届き、買い物をするにも当日配送や深夜配送〔訳者注：夜までに注文した商品を、深夜から翌朝にかけて配送するサービス。韓国では、受領印を押す必要もないため、一般の郵便物などと同じように玄関前に商品が置かれる〕を使えば言葉を交わさずに商品を受け取れる。

玄関前に配送してくれと依頼しておけば、配送員と顔を合わせる必要さえない。洗濯物も直接クリーニング店に持ちこんだり、クリーニング店員を呼んだりする必要はなく、洗濯物配送アプリを使って洗濯物を玄関前にかけてさえおけば、引き取りと洗濯完了後の配送もしてくれる。タクシーを呼ぶにも、手を上げて街角に立つ必要はなく、タクシーアプリで呼びだせばいいのだ。

目的地も事前に設定するので、どこに行ってくれと伝える必要もない。飲食店でも無人注文システムで注文をし、銀行に行かなくてもモバイルで非対面の金融取引をする。人間の代わりにショッピングアシスタントロボットを置く売り場や、フロントでロボットが客の応対をするホテルもできた。

人と顔を合わせなくても、生きていく上で何ら支障がなくなり、他人との直接の会話や接触を嫌う人も増え続けている。中高年世代には違和感のある変化だろうが、今の時代を生きる人々にとっては便利な変化だ。面倒なコミュニケーションの代わりに、便利な断絶を選択する時代になったのである。

「人間はみんなで集って生きなければならない」という言葉はいつまで通用するのだろう？人間は元々、人が好きだからコミュニケーションと連結があったのか？　それとも、そうしなければ不利益があったり、社会生活ができないから、コミュニケーションと連結があったのだろうか？　社会の進化は技術だけではなく、文化と欲求が牽引する部分も大きい。私たちが望む「便利な断絶」を、アプリや技術的進化だけでなく、文化的に解決するための試みが続いている。他人と会話し、介入する、おせっかいな人たちを鬱陶しがって避ける人は意外に多いのだ。

日本のアパレルブランド「アーバンリサーチ」は、2017年5月19日から店頭に「声掛け不要」を表す青いバッグを置いている。このバッグを持った客に店員が近寄って声をかけることはない。服を選ぶ時、本当はほうっておいてほしいのに横から店員がしきりに話しかけてきて面倒だと思っていた人には喜ばれるサービスだ。22の店舗で試験導入した後、拡大されることになった。

「一人で見ます」カゴと「お手伝いが必要です」カゴ

　こうしたサービスは、2016年から韓国の化粧品ブランド「イニスフリー」でも行っている。店内には「一人で見ます」と「お手伝いが必要です」という2種類の買い物かごが置かれている。「一人で見ます」のかごを持っていれば、必要に応じて客が呼んだ時にだけ店員が近づいてくる。一方、「お手伝いが必要です」のかごを持っていれば、店員の方から客に近づき良い製品の推薦や無料の皮膚診断サービスを実施する。「もう少し気を配ってくれたら」と思う消費者と、「ほうっておいてほしい」という消費者への接客は異なるので、これを区別できるかごを置くことは店員と客の精神的な負担を減らすのだ。

　こうしたサービスの元祖は別にある。2011年にグローバル化粧品ブランド「クリニーク」(CLINIQUE)がオープンしたビューティーコンセプトバーのスタイル、「サービス・アズ・ユー・ライク・イット」(Service as you Like it)では、入り口に三つのカラーバンド(ブレスレット)を置いた。白いバンドには、忙しいから話しかけるなという意味の「Time is of the Essence」、ピンクのバンドには「Browsing and happy」つまり、商品を見て気になることがあれば自分から声をかける、緑のバンドには「I have Time, Let's Talk」時間もあり助けも必要としているので声をかけてほしいと書かれている。客は状況に合わせてその中の一つを選ぶ。

客がどのバンドを手首につけているかによって、店員がサービスを変えられるようにしたのだ。

入ってきた客を何とかして捕まえ、声をかけて一つでも多く売るというやり方はもう古い。消費者が変わり、消費の態度も変わった。サービスの概念も変わらざるを得ないのだ。小売店の営業方式は、対面と接触によるスキンシップを重要視する以前の方式から、いまやその逆の欲求をもった消費者のために、積極的に選択権を与える方式へと変わっている。かつては当たり前だった対面と接触も、もはや当たり前ではなくなったのだ。

親切に説明することではなく、何も話しかけないことがサービスになったのは、関係によるストレスが原因だ。見知らぬ人との関係を煩わしく思う人が増えたのだ。SNSで人との関係を結び、メッセンジャーやメールでコミュニケーションをとる人が増える中で、直接人と会って話をし、関係を築くことに気まずさや煩わしさを感じる20～30代が増えた。

かつては見知らぬ人と顔を突き合わせて問題解決をする機会が多かったため、親切とおせっかいは美徳だった。しかし現在は、親切でさえも鬱陶しく思われかねない時代だ。これは客だけでなく、店員の立場から見ても同じだ。サービス業では他者との葛藤が最も大きなストレスになる。これを減らすのに最良なのは、サービスにおける人と人との関係を必要最低限にし、極力減らすことである。

京都に本社を置く運輸会社・都タクシーは、２０１7年3月末に初めて「サイレンス車両」10台の運行を始めた。タクシー運転手は、車に乗りこんでくる客に挨拶をする時、目的地を聞く時、会計の時、客の質問に答える時を除いては、雑談禁止を原則とする。運転手としても、客に話しかけることはストレスかもしれないし、もちろん客の立場としては、静かに過ごしたい時に運転手から話しかけられると、無視もできないので疲れてしまう。そこで、サイレンス車両のように「声をかけないこと」がサービスになるわけだ。

韓国でもこうしたタクシーが導入されるべきだと考える人は多いだろう。韓国のタクシー運転手は、とりわけおせっかいで、おしゃべりだ。タクシーのように密閉された空間での沈黙は意外に重要なサービスになる。韓国で「サイレンス車両」を運営すれば、おそらくかなり注目を浴びるだろう。企業としてのサービス化でもいいし、個人タクシーの賢い戦略としてもよい。

実際、配車アプリ「Tada」や「ウーバー・ブラック」などのサービスでは、相対的に物静かな運転手が多い。無神経に運転手が好きなトロット〔訳者注：韓国の演歌〕を大音量で流し、強要することもない。時代が変わり、いまや沈黙もサービスになっている。ここでも核となるのは沈黙ではなくアンコンタクトだ。

これまでは、人間関係も、社会的関係も、ビジネスも、対面による関係が主軸を成す方式をとっており、非対面はごく一部に限られていた。この構造を変えるということは、ただ単純に二つを物理的に入れ替えるということではない。非対面であっても人間関係、社会的関係、ビジネス上で何ら問題がないようにすることだ。避けたり減らしたりできる他人との対面や接触を避け、減らしていくのがアンコンタクトである。無条件の断絶ではなく、避けたり減らしたりしても何ら支障がないようにするのがアンコンタクト技術であり、サービスなのだ。

技術的進化の目的は、危険の回避や安全志向とも関係がある。技術は私たちを危険から守り、それによって私たちにさらなる自由を与えてくれる。要するにアンコンタクトは、私たちをより活動的にし、一層の自由を保障する進化の第一歩なのだ。非対面の地位を高めるのは技術ではなく、私たちの欲求だ。社会や文化の変化も、結局は私たちの欲求の変化によるものであり、それらは私たちが必要とする通りに変化している。アンコンタクトは欲求の進化だといえる。

強盗が手ぶらで帰るスウェーデン

新型コロナウイルスが地域社会に広まるのを防ぐ上で必須なのが、陽性患者の行動履歴把握である。プライバシーの保護が適用されない例外的状況だ。陽性患者の行動履歴を把握する過程では、不倫をはじめとした恥ずかしい日常の秘密（例えば、カルト宗教や汚職、買春、ギャンブルなど）が明るみに出る。これは人々にとってリスクだ。

自分が陽性患者でなくても、陽性患者と接触しただけで行動履歴が露出する。相手が陽性患者になると知っていながら会う人はいない。要するに私たちは皆、常に思いもよらない状況で自分の日常が露呈し得るという事実を突きつけられることになった。

新型コロナウイルスは、誰と会い、どんな集まりに出て、どんな活動をしたかという「評判の管理」と「透明性」を、これまで以上に自覚させるきっかけになった。

タブレットPCで電子決済もOK!

見知らぬ相手の好意や干渉に対して警戒を強めることができるようになったし、自分自身の行動についても、他人が知ったときに問題になることについて一層の注意を払うようになった。風俗店での接待や契約締結のための裏工作など、長きにわたって慣習化されていたために、それが問題であるという自覚すら欠いていた人たちの考えにも変化が生じたはずだ。「接待なしにビジネスは成り立たない」という韓国的な発想を壊す上で、社会的透明性とともにアンコンタクトトレンドが一役買うと確信する。内密に、直接対面していた頃とは違って、全て証拠が残るからだ。最も代表的なアンコンタクトはキャッシュレス（cashless）である。

キャッシュレス社会を目指す代表的な国家として挙げられるのがスウェーデンだ。1661年にヨーロッパで初めて紙幣を作ったスウェーデンが今、世界で初めて現金をなくそうとしている。スウェーデンは2023年までにキャッシュレス社会を実現することを目標に、新規紙幣とコインの発行を中止した。すでに流通している現金の回収も徐々に進めている。

スウェーデンでは多くの商店が「現金お断り」という表示を掲げており、現金での支払いを断れる法律もある。公共交通機関の料金も現金払いができなくなって久しく、教会の献金でさえ現金の割合は非常に低い。2015年から2016年にかけてスウェーデン政府が発行した新しいクローナ紙幣でさえ、いまだに実物を見たことがないという人は多く、この数年間、現金を使っていないというスウェーデン人も多い。

韓国銀行が発表した「現在キャッシュレス社会を推進している各国の主要な問題と示唆点」

（2020年1月）という報告書によれば、2018年現在の国別現金決済の割合は、スウェーデン13・0％、韓国19・8％だった。世界で最も早くキャッシュレス社会になりつつあるスウェーデンと比べても、韓国はかなりの高い水準に思える。ただし、スウェーデンの現金決済比重に関する資料は、「直近の商品購入で利用した決済手段は現金」だと回答した割合なので、総額に占める割合ではなく、総取引件数の割合に近い。

通常、少額なものは現金で支払い、高額なものほどカードやデジタル貨幣で支払う傾向にあるため、注目すべきは件数よりも金額だ。

スウェーデンの資料のうち、経済規模全体に占める現金使用率（民間で物を売買する際の現金決済総額を国内総生産で割ったもの）は、2016年現在1・4％だった。もちろん韓国も現金使用率はますます減っており、キャッシュレス社会に最も近づいている国の一つである。OECD諸国における2018年のGDP比貨幣発行残高の平均は6・9％だが、スウェーデンは1・3％、ニュージーランドは2・1％、イギリスは3・9％だ。キャッシュレス社会が最も進んでいる国として挙げられるこれら3カ国（スウェーデン、イギリス、ニュージーランド）では現在、ATM機器や貨幣発行枚数も減少している。日本の21・1％、ユーロ圏の10・9％、アメリカの8・3％との差は歴然だ。なお、韓国は6・1％で平均に近い。

スウェーデンの商業銀行は、2008年末時点では全1777支店のうち、100％にあたる1777支店で現金を取り扱っていたが、2012年末には1665支店のうち909支店、

２０１４年末には１６２９支店のうち７３３支店だけで現金を取り扱うようになった。さらに２０１８年末には銀行支店が１１７６店舗に減り、現金の取り扱い店舗も４００〜５００程度になっていると推測される（スウェーデン銀行連合会の現金取り扱い支店統計は２０１４年末まで公表）。

また、スウェーデンで発生した銀行強盗事件は２００８年には２１０件だったが、２０１７年には2件に激減した。２０１３年4月のストックホルムでは、銀行に現金がなく強盗が手ぶらで帰るという事件も起きている。銀行強盗はスウェーデンから消える運命なのだ。その上、２０１９年現在では現金を取り扱わない銀行が70％以上になっており、大手銀行ＳＥＢでも、全国の支店１１８カ所のうち現金を扱っているのは7カ所のみだ。こうした状況を受けて、スウェーデンではむしろ、金融排除者や高齢者、低所得層といったデジタル口座やクレジットカードを持たない人々の差別を防止するため、キャッシュレス社会の実現を少し遅らせている。

キャッシュレスは全ての国が考慮する未来の金融環境である。スウェーデンをはじめとした北欧諸国や、イギリスのような金融大国は、自国を優位に立たせるため、キャッシュレス金融サービスを積極的に推し進めている。紙幣やコインを使わずクレジットカードやデジタル貨幣だけで取引すれば、現物の行き来が発生しないため、貨幣の製造と管理にかかる費用が減り、現金をより生産的な領域に流すことも容易になる。社会的透明性を高める上でも効果的だ。

対面・接触によるコンタクト時代では人の役割が相対的に大きく、それによって不正や汚職に巻き込まれる機会も多かった。リンゴ箱に入れた現金を車のトランクから別の車のトランクに積んだり、封筒に入れた現金をこっそり差し出したりといったことも実際にあった。そのため、栄養ドリンクの箱に5万ウォン（4500円）札を入れたらいくらで、100ドル（約1万円）札ならいくらになるとか、007のカバンにはいくらが入るかという計算もした。お互いに口をつぐめば分からないという信頼があったからこそ、裏工作も談合も可能だったのだ。

しかし、キャッシュレスの時代では、これら全てが不可能になる。金がどこからどこに流れたのか、全て証拠が残るからだ。キャッシュレスへの転換によって、裏金や地下経済は否応なく打撃を受け、社会的透明性は高まる。インドがキャッシュレスを志向する最大の理由もこれだ。

インドのナレンドラ・モディ首相は2016年、高額紙幣を突然廃止し、キャッシュレス社会の実験を始めた。当初は現金取引中止の副作用もあったが、結果的には税収が増え、モバイル決済市場も拡大、関連産業も成長し、大きな効果を上げている。だからこそ、政治的・産業的視点からキャッシュレスを目指す国家が増えているのだ。

もちろん透明性や効率性は誰もが望むところだが、利害関係からそれを拒否する勢力もいるものだ。しかし、技術的進化と社会的進化によって、そうした問題の解決策は見つかる。アンコンタクトとは、社会的進化の産物であり、ライフスタイルの基本的要素になるものだ。

過去にはできなかったものも、今ならできる。私たちが当たり前だったコンタクトの代わりに、当たり前ではなかったアンコンタクトに興味をもち、方法を模索し続けているのは決して偶然ではない。進化には理由があるのだ。

ウイルス感染は誰のせいか？

新型コロナウイルスのようなウイルス性伝染病にかかったのは誰のせいか？　感染者の落ち度なのか？　いや、感染者はただ誰かに会っただけであり、どこかへ行っただけだ。自分が感染者であることを知りつつ歩き回っていたごく少数を除いて、多くの感染者はコンタクト社会の中で、ごく普通で日常的な行動をとっていただけである。感染した人とそうでない人の差は、自分が会った人や通った動線に感染者がいたかどうか、それだけだ。これは「運」だといえる。深刻な問題が起きたのに、自分の過ちでもなく、ただ「運が悪かっただけ」というのは実に恐ろしい。あえて過ちを問うなら、それは「人に会った」ということだ。

大半の人は人と会わなければ仕事もできず、金も稼げず、社会的関係の維持ができない。それにもかかわらず、社会的動物である人間が人に会ったことを過ちとされるのは、実に皮肉で酷なことだ。当たり前のことが当たり前ではなくなる時、日常的なことが危険に感じられる時、私たちは困難に陥る。そうなれば、欲求が代案を求めることになる。

新型コロナウイルスがパンデミックになったのは誰のせいか？　中国の武漢のせいだろうか？　中国政府のせいだろうか？　それとも各国政府のせいだろうか？　もちろん、各国政府の対応について是非を問うことはできるし、各国の医療システムを指摘することもできる。しかし今回の件において最大の過ちといえるのは、おそらく都市化、グローバル化、気候変動ではないだろうか？　都市化は地域社会での感染を加速させ、グローバル化は感染を世界中に広め、気候変動がもたらした問題は人獣共通感染症の拡散を招いた。

これら三つは全て人類の過ちである。個々の人間の過ちを追及することはできないが、このように危険な社会を作り上げたのは私たち人類だ。だからといって故意ではない。こんなことになるとは予想していなかった。都市化やグローバル化によってより豊かな暮らしが実現すると考え、私たちの欲求はそれを支持した。そうして問題から目をそむけた。

２０１５年４月、ビル・ゲイツがＴＥＤ講演「Bill Gates: The next outbreak? We're not ready」で「もし今後数十年のうちに何かが１０００万人以上の人を殺すとしたら、それはおそらく戦争ではなく非常に伝染力の高いウイルスでしょう。人類は核の抑制に莫大な投資をしてきたが、伝染病を止めるシステムにはほとんど投資していません」と話した。

ビル・ゲイツは２０１４年、西アフリカのエボラウイルスが全世界に広がらなかった理由について、医療従事者の勇気や空気感染しないというエボラの特徴の他に、感染が都市に広がらなかった点を挙げた。都市に広がらなかった理由は、ただ運が良かったに過ぎないという。幸運は毎回訪れるものではない。

ちなみに、ビル&メリンダ・ゲイツ財団（Bill & Melinda Gates Foundation）の前身団体は、1994年にビル・ゲイツとメリンダ・ゲイツによって設立された（その後、2000年に他団体と統合して現名称へ）。世界最大規模の民間財団で、国際的な保健医療の拡大と貧困撲滅を主な目的としている。

基金は主にエイズ、インフルエンザ、マラリアなどの疾病予防と撲滅に使われる。また、トイレが伝染病予防における重要な変数の一つであることに着目し、2011年からは発展途上国にトイレを供給するプロジェクトを進めている。トイレなしで暮らす人口は世界中で25億人に上る。トイレがなければ、伝染病発生時に重要な手洗いができないだけでなく、大小便によって日常的な汚染・感染のリスクも高まる。アメリカの経済専門誌『フォーチュン』（Fortune）によると、ビル・ゲイツとメリンダ・ゲイツはビル&メリンダ・ゲイツ財団に1995年1月から2017年末までに455億ドル（約4兆8700億円）を寄付している。ウォーレン・バフェットは2006年に自身の財産の85%（370億ドル）を慈善基金として提供しているが、このうち310億ドルをビル&メリンダ・ゲイツ財団に寄付している。こうした資金で運営されるビル&メリンダ・ゲイツ財団の年間予算は、WHOより多いという。

2009年の新型インフルエンザ、2012~2015年のMERS、2014年のエボラ出血熱、そして新型コロナウイルスまで、この10年間で世界は4度も深刻な伝染病を経験した。2003年のSARSをはじめとして、とりわけ2000年代以降は世界的に新種の伝染病が頻繁に発生している。

これら新種の伝染病は全て消滅したわけではない。MERSはいまだに治療薬やワクチンができていない。発見から39年も経ったエイズの治療剤のレベルは、依然として完治ではなく、ウイルスの増殖を抑制して症状を抑え、他人への伝染を予防する程度にとどまっている。

エイズの病原体であるHIVが発見されたのは1981年のことだ。死者数は、2016年100万人以上、2017年94万人、2018年77万人と少しずつ減ってはいるが、年間75万人以上が死亡していることにはかわらない。依然として世界には3790万人の感染者がいる（2018年現在、国連合同エイズ計画［UNAIDS］発表）。

韓国のエイズ発症患者数はOECD36カ国中35位で2番目に少ないのだが、それでも約1万3000人（2017年時点）が感染者として暮らしている。2018年の新規発生患者数も1200人を超える。エイズは歴史が長い分だけ感染者も多いのだが、現在進行型の伝染病であるという認識がない人も多い。単純な接触では感染しない上、治療剤も出てきたためか、死亡者数や新規患者の発生件数に比べると、警戒心が薄い。

18世紀にイタリアで命名されたマラリアも、いまだに危険な伝染病だ。韓国にも朝鮮王朝時代から存在していた病気（当時は「おこり」と呼ばれた）である。

WHOの「World Malaria Report 2017」によると、2016年に世界で発生したマラリア感染者は2億1600万人で、死者は44万5000人だという。これでも大きく減少した方だ。10余年前までは年間100万人以上が死亡していた。このように歴史の古い病気だが、あるのは予防薬だけで依然としてワクチンはない。マラリア発症地域は現在さらに広がっており、変種の可能性や致死率上昇の可能性も排除できない状況だ。

鳥インフルエンザも頻繁に発生している。2000年代に入ってからは毎年のように、牛、鶏、豚から狂牛病、鳥インフルエンザ、アフリカ豚熱といった家畜伝染病が発生し、大規模な殺処分が何度も行われた。なぜ21世紀に入ってこうした事態がこれまで以上に頻繁に起こるようになったのだろうか？　ただ運が悪かったからなのだろうか？

伝染病は過去に比べて増えており、そのうち動物から人間に病原体が移って発生する人獣共通感染症の割合が高い。アメリカ『獣医学ジャーナル』（Veterinary Science, 2019.6）によると、過去80年間で流行した伝染病はほぼ全てが人獣共通感染症であり、そのうちの70％程度が野生動物を感染源としているという。人獣共通感染症のほとんどが家畜ではなく野生動物によるものだという点は、人類が行ってきた生態系の破壊と無関係ではない。

都市化やグローバル化で次第に開発が広がり生態系が破壊されると、生息地が減少した動物は餌を探すため危険を冒して人間の世界にやって来る。気候変動による山火事や干ばつ、水没などの異常気象が頻繁に発生することで生息地を失った野生動物も、人間の住む地域や人間と接触可能な地域に移動することが増えた。

人間と動物は長い進化の過程を通してそれぞれに免疫体系を構築してきているが、動物のもつ病原体が人間の体内に入った場合は問題が発生する。多くの変種と突然変異が起こり、恐ろしい伝染病に発展しかねないのだ。気候変動による気温の上昇や過酷な環境でも適応し、生き残ってきた病原体であるため、動物からヒトの体内に移っても適応する可能性が高い。伝染病と生態系の破壊、気候変動は別々の問題ではないのだ。

気候変動による地球の気温上昇は、単に暑くなるだけの問題ではない。海水面の上昇で浸水地域ができるといった程度の問題でもない。気温が上昇すれば蚊の生息域が広がり、蚊が媒介するウイルスも拡散するのだ。アフリカのジカウイルス（Zika virus）がアメリカに渡り、アフリカや東南アジアのチクングニアウイルス（Chikungunya virus）が亜熱帯や西半球に渡り、ウガンダの西ナイルウイルス（West Nile virus）がカナダに渡ったのも全て蚊の生息域の拡大と関係している。

世界的な医学学術誌『ランセット』（The Lancet）の２０１９年の年次報告書によると、気温の上昇、海水温度の上昇、湿度の上昇といった気候変化により蚊が繁殖しやすい環境が生まれ、これによりマラリアやデング熱といった蚊が媒介となる疾病被害が一層増したという。10年単位で見た場合、デング熱の被害が最も深刻化した10年間は、ちょうど直近の２００９〜２０１９年だった。つまり私たちは、昔よりも深刻化したウイルス感染のリスクを憂慮しなければならないのだ。新型コロナウイルスで経験したアンコンタクトへの欲求が一時的なもので終わらない理由がここにある。存在するリスクを甘受し、運に身をゆだねることはできない。

20世紀を通して人類は生態系を破壊し続けた。20世紀後半には本格的に問題提起もされていたが、誰もが気候変動の問題に対して消極的な態度をとっていた。これは21世紀になった現在も変わらない。このままいけば、伝染病に対する不安と不便はますます増えるだろう。そうなれば、高齢者や障がい者、生活困窮者といった社会的弱者にとってますます厳しい状況になる。衛生に気を使い、免疫力を高めることは各自の責任にゆだねられているが、対面と接触を減らしてもうまく回る社会や経済を構築するのは政府と企業の責任だ。

確かなのは、アンコンタクト社会への転換が「選択」ではなく「必須」だということだ。もはや気候変動に対する積極的な取り組みも、政府や企業に対して声を上げ変化を求めることも、日常生活の中でCO_2削減に取り組むことも、私たち自身のために必要なことなのだ。当たり前だった全てのことが当たり前でなくなる前に、当たり前でありながらも問題視されていたことは勇気をもって手放さなければならない。コンタクト社会に固執していては危機的状況を前に日常が止まってしまう。アンコンタクト社会を受け入れながら、日常を守らなければならない。

第2章

危機か チャンスか

——ビジネス・教育・医療

レジのない無人コンビニ（Amazon Go）

トフラーの未来予測が当てはまらなかった韓国

米国の未来学者アルビン・トフラー（Alvin Toffler）が書いた『第三の波』（The Third Wave, 1980）に、在宅勤務の話が出てくる。彼はこれを「エレクトロニック・コテージ」（Electronic Cottage）と呼び、知識労働者は自宅にいながらコンピューターや通信装備などを使って働けて、新しいネットワークも作れると述べた。１９８０年に出版された本の中で、20世紀後半から21世紀に到来する情報化社会と情報革命を予測したのだ。

在宅勤務（Work-From-Home）やテレワーク（Telework）は、アメリカやヨーロッパではすでに20世紀後半から行われており、１９９７年にはフランスの思想家ジャック・アタリ（Jacques Attali）が、デジタルノマド（Digital Nomad）という概念を著書『21世紀事典』（Dictionnarie du 21e Siècle）の中で取り上げている。

21世紀に入ると、アメリカやヨーロッパなどでは在宅勤務やテレワークの経験がある会社員が急増し、デジタルノマドも広まった。アメリカの調査会社ギャラップ（Gallup）によると、アメリカでテレワーク（全てをテレワークにするのではなく、テレワーク形態を含む勤務）をする会社員の割合は、２０１６年に43％だった。

アメリカ統計庁によると、２００５年から２０１５年までの在宅勤務の増加率は１１５％だった。カナダのＩＴサービス会社「ソフトチョイス」（Softchoice）の調査では、「在宅勤務を許可する会社があるならば、現職を辞める意思がある」と回答した人は74％だった。確かに在宅勤務やテレワークに関するアルビン・トフラーの予測は当たっている。

しかし、韓国は例外だった。技術的な問題ではない。韓国では１９８４年にパソコン通信サービスが始まっており、90年代初頭から中盤までに全盛期を迎えていた。インターネットは90年代半ば以降、大衆化し始め、各家庭にもパソコンが置かれるようになり、90年代末には超高速インターネットが普及している。スマートフォンの普及率も世界最高レベルだ。それにもかかわらず、在宅勤務には消極的だった。

『第三の波』

韓国統計庁の「経済活動人口調査－労働形態別の付加調査」によると、２０１９年に柔軟勤務制（時差通勤制や柔軟な勤務体制、選択的勤務時間制、在宅勤務・テレワーク制など）を経験した労働者は２２１万５０００人であったが、このうち在宅勤務・テレワーク制の経験者は４・３％に過ぎなかった。数字で見ると、２０１９年に韓国で在宅勤務・テレワークを経験した労働者の数は９万５０００人だ。２０１５年の６万５０００人、２０１８年の７万９０

00人に比べれば増えているが、賃金労働者の総数が2000万人を超え、正規労働者も1300万人程度いることを考慮すれば、在宅勤務・テレワークの経験比率があまりにも低い。韓国は在宅勤務に対して、不信感と非効率というイメージをもっていたのだ。

トフラーの予測はなぜ韓国でだけ当てはまらなかったのだろう？　彼が予測した在宅勤務は「対面してこそ仕事だ」という韓国式文化を打ち砕くことができなかったのだ。ところが、トフラーですら崩せなかった壁を新型コロナウイルスが崩した。

2020年に入って韓国企業内に在宅勤務やテレワークが広がりはじめた。SKイノベーションの労使に至っては、賃金交渉をウェブ会議で行っている。賃金交渉を話し合うべき重要な場だが、非対面でも可能な会議だと判断すること自体が、驚くべき変化の兆候といえるだろう。

テレワークと在宅勤務は以前から重要なテーマだった。未来での働き方がその方向に進むということには異論はない。しかし、実行となると違った。新しいものが出てくると、それを実際に経験するまでは、大きな支障がない限り従来の方式や慣習を維持しようとするものだ。向かい合って会議し、がむしゃらに残業し、会食で関係性を深めながら仕事をするという文化に慣れた中高年世代の組織文化から見ると、在宅勤務はむしろ非効率的に思えた。手慣れたこれまでのやり方は成果も検証されているため、あえて新しいやり方を試みたくはない。そのため、技術的にテレワークや在宅勤務が十分に可能になってからも、企業は適用に消極的だった。

慣習を破るのは難しいことだ。スローガンとしては聞こえのよい「変化と革新」という言葉も、実行するとなると負担に感じる人が意外に多い。韓国の大企業は2000年代に入った頃から事あるごとに「変化」や「革新」をうたってきたが、いざ組織文化の変革を始めようとすると消極的であり、既存社員からの反発も大きかった。

そこにやってきた新型コロナウイルスが強力なトリガーになった。革新は往々にして激しい抵抗を受け頭打ちになることが多いが、突然現れた強力なトリガーによって抵抗勢力の論理と力が無力化される場合がある。新型コロナウイルスの襲来からチャンスが生まれることもあるのだ。

最も怖いものは経験である。実践する前は漠然と恐ろしく不便に見えていたことでも、実際にやってみるとその中の長所が見えてくる。やってみれば、メリットに気づくものだ。こうした経験が新たな変化を受け入れる大きな原動力になる。新型コロナウイルスのために仕方なく期限付きの職場閉鎖をし、在宅勤務やテレワークを行っていた企業が、今後も引き続きこの方式を適用する可能性が高まっている。2015年のMERS時も、一部の企業では在宅勤務を実施した。しかし、その働き方が定着することはなかった。

新型コロナウイルスによる在宅勤務では違った。その場しのぎの措置で終わらせるのではなく、これをきっかけに働き方の転換を模索する企業が増えたのだ。2019年以降、韓国の大企業はこれまで以上に組織文化の革新や成果主義による昇進、フラット化、アジャイル〔訳者注：agile、小さい単位に分けて迅速かつ柔軟にソフトウェア開発を行う手法〕を積極的に受け入れ、韓国式のタテ型の組織文化から脱皮するための革新を強力に推し進めているところだったのだ。これまで在宅勤務やテレワークの普及の足かせになっていたのは韓国的組織に存在する文化的な障壁だった。新型コロナウイルスは企業に思いがけず革新のきっかけを与えたわけだ。

映画『キングスマン：ゴールデン・サークル』（Kingsman:The Golden Circle, 2017）には、互いに異なる空間にいる人々がＡＲゴーグルをつけて会議室のテーブルに集まり会議をするシーンがある。これを進化させれば、ゴーグルがなくてもホログラムを使って異なる空間にいる者同士が目の前にいるかのように会議できるようになる。ウェブ会議の未来の姿だろう。

現在のウェブ会議では、相手はモニターの中にいる。各所にいる複数人と同時にウェブ会議をすれば、モニター画面に複数人の顔が映る。直接対面するわけではないが、文字通り「顔を見ながら」会議するのだ。あえて顔を合わせることなく、モバイルメッセンジャーを使った会議をすることもある。その他、Ｅメールでのやり取りもある。この場合は、リアルタイムで用件だけを簡単明瞭に伝えることになる。まだホログラム会議はできないが、科学技術はコンタクトの方法も空間的制約をなくす方向へと進化させていくだろう。

働き方が変わるのは当然だ。在宅勤務やテレワークにおいて核となるのはＩＴソリューションではない。すでに業務をクラウド基盤ソフトウェアで処理し、文書決裁システムや業務用モバイルメッセンジャーを利用している企業も多い。ウェブ会議ソリューションも広く使われて

『キングスマン：ゴールデン・サークル』

いる。しかし、これだけあっても仕事はうまくいかない。やはり重要なのは組織文化だ。

非対面の状況でも効率性を保てるフラットな組織文化が必要であり、成果を明確に測定し評価できることが何よりも重要である。自律と責任を強調するアメリカの企業が、在宅勤務を広く受け入れたのもそのためだ。相対評価ではなく絶対評価を行う企業が増えているのも、このような流れと関係している。

対面して酒を酌み交わし、スキンシップやお世辞を通して強まった関係性で評価や人事、昇進が有利になり得るという認識自体をなくさなければならない。業務の成果だけを見て透明性のある評価をするようになれば、社員も効率性と生産性という観点でより良い働き方を積極的に考えるだろう。

技術的・産業的進化のおかげで、もはや人が直接的に人を監視・管理する必要がなくなった。オフィス空間や働き方は私たちが任意で決めたものではない。技術的・産業的進化に社会的進化が加わってできた産物だ。当時としては正しくても、現在においては間違っている部分があるものだ。

アメリカの機械工学者で産業工学者であったエンジニアのフレデリック・テイラー（Frederick Winslow Taylor, 1856～1915）は、「科学的管理法」（Scientific Management）を創案し、工場の改革と経営の合理化に大きく貢献した。彼が完成させたテイラーイズム（Taylorism）は、オフィスの空間設計を行う際、業務の効率とともに監視・監督が容易かどうかを重要視している。広々とした空間に役職別で一列にデスクを並べる。同一空間内に最大限多くのデスクを詰めて配置できるというメリットがあり、初期のオフィスはほとんどがこの形態だった。

いまだにこの配置を使い続けている業種もある。確かにデスクに座っている人を監視・監督・制御するには楽で、オフィス内にいる全ての人の仕事ぶりをひと目で把握しやすいのだ。現代的なオフィスのデスクと椅子の配置は、このような意図で作られ、この方式は世界中の企業に最も多くの影響を与えた。

その後１９６０年代には、「ドイツ式オフィス空間」という意味のビューロランドシャフト（Bürolandschaft）が、ドイツを中心にヨーロッパで流行した。一部にパーティションを導入するなど、プライバシーの保護にも気を使ったビューロランドシャフトの登場は、テイラーイズムの官僚的な監視・監督環境からの脱却を促した。80年代に入ると、広く開放されただけの空間から脱し、パーティションが増やされ、仕切りで区切られた独立的な作りが多くなった。90年代になってパソコンがデスクの上で重要な役割を果たすようになった時も、オフィスの構造は変化した。

２０００年代に入ってからはシリコンバレーのＩＴ企業が個性的でユニークなオフィスを生み出している。さらに在宅勤務やテレワークが一般化すると、毎日出勤するわけではないため、常時自分のデスクがあるオフィスから共用のオフィスへと移行し始めた。


このようにオフィス空間は、１００余年の間に目を見張る変化をとげてきた。これは単に空間の変化だけでなく、産業構造や組織文化の変化、働き方と社会の変化も表している。20世紀のコンタクト基盤の働き方が、21世紀のアンコンタクト基盤の働き方へと転換したのも、こうした変化によるものだ。在宅勤務やテレワークは進化の産物である。企業がより高い生産性と効率性を得るために選択したのであって、あえてオフィスに行かなくても働けるからという理由によるものではない。アンコンタクトは手段であって目的ではないのだ。

対面中心の営業方式についても検討が必要だ。すでに過去と比べて対面が大幅に減っている。かつては無条件に対面が必要だったが、いまや海外出張に行かずウェブ会議で海外バイヤーと交渉するのが一般的だ。コンタクト時代を生きてきた中高年世代はこうした変化に違和感を覚えるかもしれないが、だからといって慣れ親しんだ過去に固執してはならない。

アンコンタクト時代への適応が容易なミレニアル世代やＺ世代がビジネスの主導権を握るのも時間の問題だ。ビジネス環境はアンコンタクトにシフトせざるを得ないのだ。営業や交流、展示会やカンファレンスの方式にも変化が見られて当然である。ビッグデータや人工知能は、人に直接会って市場調査を行い、消費者分析を行っていた環境を変化させた。

こうした変化はついに食品製造にも適用されるようになった。ロッテ製菓は２０１６年12月からＩＢＭの人工知能（ＡＩ）ワトソンを導入し、２年間の共同開発の末、人工知能トレンド予測システム「エルシア」（LCIA, Lotte Confectionery Intelligence Advisor）を開発し、２０１８年から製品開発に活用している。

食品関連のソーシャルメディアデータ数千万件を収集し、肯定や否定を選り分けて消費者の好みを分析し、そこに販売データや天気、年齢、地域別の消費パターンなどの資料を加えて、製品開発やマーケティングに適用しているのだ。消費者の嗜好分析をする際、これまでは主に消費者を対象としたアンケート調査や観察調査といった対面でのアプローチを活用していた。しかし、もはや人工知能システムの活用は、全ての企業が取り組むべき課題になっている。働き方の変化とは、単にオフィスで働くか自宅で働くかという問題ではない。大事なのは空間ではなく、どんな技術を活用して効率性と生産性を高めるかということだ。

新型コロナウイルスは韓国企業にとどまらず、世界中の企業に在宅勤務の必要性を認識させ、非対面での共同作業を支えるウェブ会議をはじめとしたＩＴソリューションに対する需要を高めさせた。クラウド基盤の業務用チャットツール「スラック」（Slack）を提供するスラックテクノロジーズ（Slack Technologies）や、ウェブ会議ソリューション「ズーム」を提供するズームビデオコミュニケーションズ（Zoom Video Communications）といった、在宅勤務やテレワークをサポートするITソリューション企業は、コロナ禍で株価が上昇し、新規ユーザーも増えた。特に在宅勤務やテレワークが拡散する中国は市場として注目を集めている。

在宅勤務の拡散は、関連ソリューション企業にとっては新たなチャンスとなるが、オフィスを中心とした業務環境の恩恵を受けてきた一部の領域にとっては危機になる。変化は危機とチャンスを同時に招くものだ。また、想定外の突発的な変化が起こる可能性もある。

テレワークは、生き方そのものを変える

働き方が変われば、生き方やライフスタイルも変わる。テレワークをするということは、コンタクト中心からアンコンタクト中心への移行にともなって生まれた、暮らしのメリットも享受できるということだ。

シリコンバレーのIT企業には、テレワークは身近な文化として古くから浸透している。特にミレニアル世代やZ世代の会社員の間では、テレワークは好まれている。ネットワーク環境に慣れている世代ほどテレワークの選好度は高まるものだ。デロイトが42カ国1万3400人

のミレニアル世代を対象に調査した「The Deloitte Global Millennial Survey 2019」によると、ミレニアル世代の75%が、「自分にとって在宅勤務やテレワークは重要な要素だ」と答えた。ミレニアル世代やZ世代の人材を確保するためにも、企業は在宅勤務やテレワークを進化させる必要がある。

イギリスのコンサルティング会社マーチャント・サビー（Merchant Savvy）のグローバルリモートワーク分析報告書「Global Remote Working Data & Statistics, Updated Q1 2020」によると、２００５年から２０２０年までの15年間で全世界のテレワーク利用者が１５９%増加したという。アメリカ企業の69%が在宅勤務制を実施しており、イギリス企業の68%が柔軟勤務制を取り入れているとのことだ。リコーヨーロッパ（Ricoh Europe）がヨーロッパの社員約３０００人を対象に行った調査では、32%の社員が「柔軟勤務制の実施と引き換えに10%の賃金カットを容認できる」と回答している。

柔軟勤務制は福利厚生にもつながる。柔軟勤務制によってテレワークや在宅勤務が容易になれば、結果的に家族と過ごす時間が増えるからである。共働きが必須になり、出産後の子どもの養育問題や、出産と育児のためにキャリアを断絶せざるを得なくなった女性たちの問題も深刻化している。これらを解消するためにも柔軟勤務制やテレワーク、在宅勤務は重要だ。厳密に言えば、テレワークと在宅勤務は柔軟勤務制に含まれる。柔軟勤務制を通じて生産性と効率性は高まる。会社としてはオフィスの維持費用が削減でき、社員としても通勤による時間と費

ミレニアル世代やZ世代など、ネットワーク環境に慣れた世代ほど在宅勤務やテレワークを好む

用を減らせる。

メリットも多く合理的な制度に見えるが、だからといって、短所がないわけではない。テレワークは仕事と日常の境界を壊しやすく、むしろワーク・ライフ・バランスを乱す恐れがある。実績で評価され、与えられる自律性の分だけ会社と社員間の信頼も重要になる。そのため、むしろ会社に出向いて働いていた時よりも仕事に打ち込んでしまい過労になるという指摘もある。統制がないまま自律的に働くと、気持ちが緩み仕事に身が入らなくなるのではないか——人々のそうした懸念とは逆の結果を生むという予想は、十分あり得る。

物理的には非対面・非接触であるが、ネットワークの連結という面では対面過多や接触過多になる恐れもある。そのため、テレワークをするためには時間の管理とコミュニケーションの管理が重要になる。境界確保のために業務時間外にはあえて職場とのつながりを絶つという社員も増えるだろう。

テレワークのための法律ではないが、フランスでは2017年1月1日より「つながらない権利法」(right to

disconnect)が施行された。文字通り退社後に会社や上司とつながらない権利が法的に保障されるのだ。２０１３年ドイツの厚生労働省は、非常時を除き業務時間外には上司が社員に電話やメール連絡をできないようにする指針を発表している。

イギリスでは労働党の大物政治家で産業相を務めたレベッカ・ロング＝ベイリーが、常につながれる「24／7文化」〔訳者注：24時間、週に7日間「常に」という意味〕の終息を宣言している。ダイムラー・ベンツグループの場合、休暇中の社員のメール受信を自動応答にし、除去するシステムを運用している。休暇中の社員に送られたメールを分析したところ、業務上本当に重要な社内メールは20％程度であり、それらのメールも上司や同僚で十分にカバーできるものだった。そのため、休暇中の社員には業務メールが届かないよう制度化したのだ。

多くの政府や企業がこうした法的制度や指針を作るのは、それだけ自発的に行うのが難しいものだからである。韓国では２０１８年12月、公務員のパワハラ行為の概念と類型を具体化した改正公務員行動綱領が施行された。それによれば、「休日や昼夜を問わずＳＮＳで傘下機関に業務の指示や強要をすること」もパワハラとして公務員の懲戒事由になる。

２０１９年7月16日には「職場内嫌がらせ防止法」〔改正労働基準法〕が施行された。職場内での地位や関係の優位性を利用して業務の適正範囲を超えた身体的・精神的苦痛を与えたり、勤務環境を悪化させたりする行為は全て違法となったのだ。休日にカカオトーク〔訳者注：無料通話・メッセンジャーアプリ〕で過度な業務指示をしたり、暴言を吐いたりすることも嫌がらせに当たる。

韓国では「つながらない権利」自体を法制化したわけではないが、明確にその権利を含む法制は一部に存在するわけである。これは今後テレワークや在宅勤務が拡大するにあたって、一層重要になる法律だ。

テレワークが孤独感や疎外感といったメンタルヘルスの問題を招きかねないという指摘はいまだにある。テレワークの拡張は、ただでさえメンタルヘルスの問題を抱えがちな現代人に負の影響を与えかねないというのだ。そのため企業側は今後、社員がテレワークで疎外感や孤立感をおぼえた場合の解消法の模索にも注力しなければならない。

テレワークのためにサポートすべきことはＩＴソリューションだけではない。テレワークは、働き方だけではなく生き方全般をも変える。それゆえ、安易に考えたり、バラ色の幻想を抱いたりしてはならないのだ。文化の変化でもあるため、適応と問題改善のための時間及び、そのための投資も必要になってくる。

ちなみにビル＆メリンダ・ゲイツ財団が設立した、世界の保健統計と影響を評価・研究する団体「ＩＨＭＥ」(Institute for Health Metrics and Evaluation) によると、メンタルヘルス障害を経験した人は２０１７年現在、世界中に約７億９９００万人いると推定される。世界の人口の10・７％、つまり10人に１人がメンタルヘルス障害を経験したということだ。

就業人口でみると、約15％がメンタルヘルス障害を経験していると推定される。ＷＨＯの国際疾病分類ＩＣＤ－10に従って広義に定義すると、うつ病、不安障害、双極性障害、摂食障害、統合失調症などが含まれる。

ソーシャルメディアマネージメントプラットフォーム「バッファー」（Buffer）は、テレワーク制度拡張のリーディングカンパニーとして、様々な調査を行っている。アンケート調査の結果によると、回答者の19％がテレワークによって孤独を感じ、17％がコミュニケーションに不便を感じたそうだ。バッファーは２０１０年の創立後、現在までに世界15カ国に進出している。２０１２年からは全社員が自らの希望する地域で自由に勤務できるよう、完全テレワーク制を開始し、２０１５年には本社オフィスもなくしてオフィスフリーになった。米国のＩＴ企業オートマティック（Automattic）にも影響を与えた企業である。

オフィスフリーとロケーション・インディペンデント

２００５年にサンフランシスコで創業したオートマティックは、ウェブページを作るソフトウェア「ワードプレス」（WordPress）をはじめとした様々なソフトウェアを開発し、マイクロブログ「Tumblr」を運営している。世界のウェブサイトのうち3分の1はワードプレスで制

オートマティック社の驚くべき成長スピード
（WordPress.com、Akismet、Growdsignal、Jetpackのユーザー数の推移）

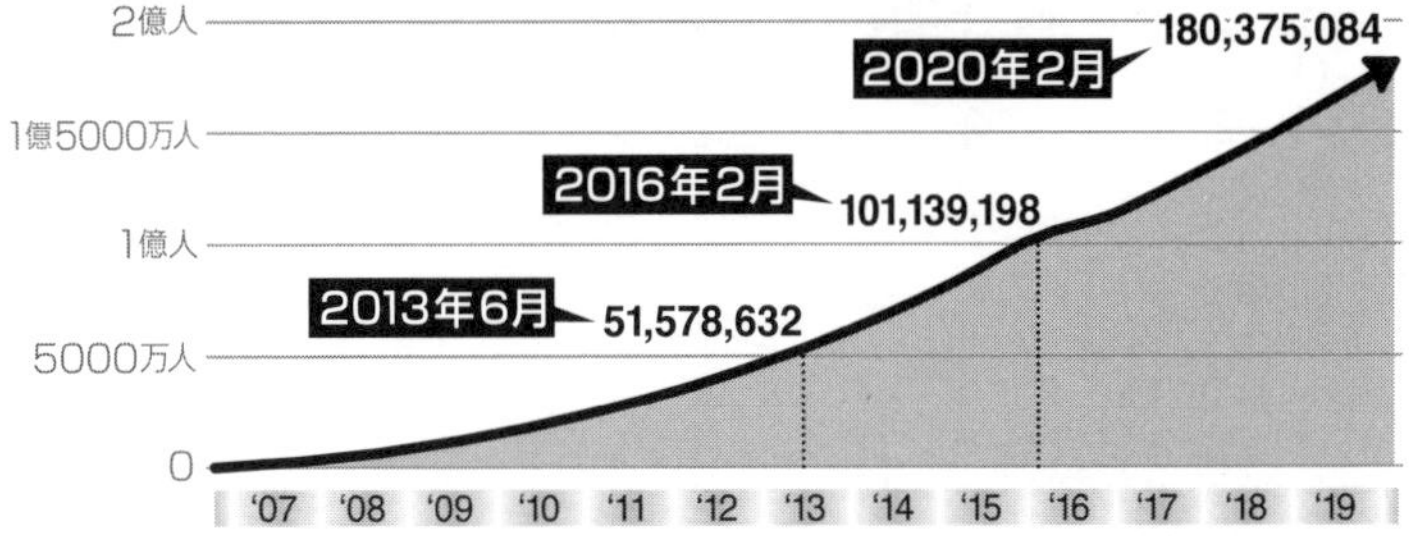

出典：Automattic

作られたといわれるほどで、ウェブサイト制作ツールのシェアは２０１９年10月現在34・７％（W3Techs統計）だ。

興味深いことに、同社は創業者でCEOのマット・マレンウェッグ氏が創業当初からテレワークを企業文化として定着させており、２０１７年には常駐スタッフがいないという理由で本社オフィスさえなくしてしまった。これにより全従業員がテレワークを行うオフィスフリー企業となった。一部の社員のみがテレワークをしている組織では、テレワークの社員が相対的な疎外感を抱きやすくなるため、短所として指摘されることもある。しかし、オートマティックのように全社員がテレワークをしていれば、そうした短所は消えるのだ。

２０２０年2月現在、１１７０人の社員が70余カ国で働いている。一年に一度だけ全員で集まる機会があるが、それ以外はカフェでも家でも共有オフィスでも、ひいては浜辺のサンベッドでも、各自が選んだ空間のどこでも働くことができる。

仕事は結果で語るものであって、過程や業務環境は各自が判断すればいい。ホームオフィスを作る費用から共有オフィスを借りる費用、カフェで仕事中に飲むドリンク代に至るまで会社が支援する。会社として、それらの費用を業務上の必要経費ととらえているのであり、それらの費用を全て合わせても大型オフィスを運営する費用よりははるかに安く抑えられるという見解だ。

会議や業務上のコミュニケーション、業務管理はもとより、採用もオンラインインタビューのみで進められる。それでもオートマティックは成長を続けているのだ。オートマティックの代表的なソフトウェアサービスであるWordPress.com、Akismet、Crowdsignal、Jetpackのユーザー数は2020年2月現在1億8000万人以上に上る。しかし2016年2月時点では1億人を超える程度だった。4年間で80％以上増えたわけだ。ユーザー数のグラフを見ると、ほぼ45度という急速な増加が続いている。

2019年9月にセールスフォース（Salesforce）から3億ドル（約320億円）の投資を受けた際のオートマティックの企業評価額は30億ドルだった。2014年には10億ドル以上と評価されているので、企業価値が5年で3倍になったことになる。彼らがテレワークやオフィスフリーによって成長企業になったわけではないが、オフィスを持たずテレワークだけしていてもビジネスが円滑に行えることは確かだ。必要に応じてオフィスで人と向かい合い、対面しながら働くべきだと主張することは可能だが、いつまでもそこに固執する必要がない時代になってきている。

世界を股にかけるグローバル企業や、アメリカのように非常に広大な国では、効率の面でもテレワークが必要になる。シリコンバレーにあるスタートアップ企業では、最初からグローバルビジネスを見越して、各国から社員を採用し、遠隔で仕事をしているところも多い。

本社はアメリカだが、各国にいる社員たちがウェブ会議やチャットでコミュニケーションをとり、プロジェクト管理ツールを利用して業務を管理する。フリーランサーがそれぞれ別の場所にいながら共通の目標をもつ会社のために働いているようにも見える。オフィスに出勤する必要もなく各自のパソコンで仕事をすればよいので、伝統的な意味の職場とは異なる印象だ。

同じ時間、同じ空間に集まって、顔を見合わせて働くことはないが、業務上の問題はない。これは同じ国の異なる都市で働いている場合でも同様だ。厳密にいえば、物理的な位置というのが業務に直接的に関わる場合を除いて、私たちはどこにいようと働くのに支障がないネットワーク環境をもった時代を生きている。そのため、ロケーション・インディペンデント〔Location Independent　訳者注：地理的条件の制約にとらわれないこと〕が可能になった人たちもその分だけ増えた。チェンマイやバンコク、ホーチミンのカフェや共有オフィスに座っていたとしてもシリコンバレーにある会社の社員かもしれない。

グローバル企業やシリコンバレーのＩＴ企業のみならず、世界中の多くの企業がテレワークに関心をもっている。通勤時間の無駄も省け、対面によるストレスも減り、オフィス空間の維持費用も減らせるようになるからだ。各国政府もテレワークを積極的に導入している。

2012年のロンドンオリンピックでは、ロンドン都心の企業の80％でテレワークを導入し、交通渋滞を緩和させた。日本は東京オリンピックを見越して、2020年までにテレワーク導入率30％を目標としており、目標達成のためテレワークを導入する企業には支援金を支給した。日本は勤労環境の改善と良質な雇用の創出、女性活用や少子化対策といった全般的な理由により国家的アジェンダとして働き方改革を推進している。

富士通は2015年から2年間の試験導入を経て、2017年4月に本社の全社員3万5000人を対象としたテレワーク制度を導入した。トヨタが2016年から、ほぼ全ての総合職社員2万5000人を対象に実施している在宅勤務制度では、オフィスへの出勤は1週間のうち2時間だけでよいことになっている。

東京海上日動火災保険は、2017年10月から全社員1万7000人を対象に在宅勤務を拡大中だ。三井住友、三菱UFJのような大手銀行も在宅勤務制を導入している。子会社まで含めると、日本国内の勤務者が17万人に上る日立は、これまで1日平均8000〜1万5000人だった在宅勤務者数を10万人に増やす計画だ。2018年時点で、2〜3年以内に10万人がテレワークできるインフラを構築すると発表した。

このように日本の大企業では、在宅勤務とテレワークを積極的に導入するところが増えている。こうした状況を受けて、東急電鉄は月額5000円で一日8時間利用できるテレワーク用のオフィスを地下鉄の駅周辺に作った。さらに日本ではカラオケボックスまでテレワーク用オフィスに変身する。利用客がまばらな昼間のカラオケボックスを業務空間として貸し出すのだ。公衆電話のような形のテレワーク用の超小型オフィスを作って、公共施設や地下鉄の駅に設置する事業も進められた。在宅勤務やテレワークが増えるにつれ、いつでもどこでも働ける空間は増え続け、様々なビジネスが展開されている。

新型コロナウイルス問題が起こる前から、韓国では雇用労働部〔訳者注：日本の厚生労働省に相当〕より、在宅勤務やテレワークをする企業に対するインフラ構築資金の支援プログラムが提供されてきた。韓国内の企業でも以前からテレワークや在宅勤務は提起されている。テレワークを導入する企業が増えれば、その分だけロケーション・インディペンデントが可能な人が増えるため、より多くのデジタルノマドが生まれることになる。しかし現在は、会社の制度的側面やインフラの環境的側面では可能でも、心構えや生活の方向性が変わらないために、在宅勤務やテレワークを消極的に受け止めている人がまだまだ多い。

今後は徐々に変わっていくだろう。それこそ重要なライフスタイルのトレンドになるはずだ。職業の問題ではなく人生の問題であるロケーション・インディペンデントを受け入れれば、結婚観や恋愛観、職業観、家やお金に対する態度、人脈や友人に対する態度、消費に対する態度

場所にとらわれず、どこでも仕事ができる（ロケーション・インディペンデント）

といった全ての面で変化が生じてくる。

ロケーション・インディペンデントとは、場所にこだわらずに働く文化だ。オフィスに出勤する文化では、職場と家の距離が重要な問題だった。しかし、テレワークとデジタルノマドはこれを変えてくれている。未来学者のジェレミー・リフキン（Jeremy Rifkin）は著書『労働の終末』（The End of Work, 1995：邦題『大失業時代』松浦雅之訳、阪急コミュニケーションズ、1996）で、自動化と人工知能技術の発展により、世界は労働者がほとんどいない経済に向かっていくと予測した。約20年前の予測はすでに現実となり、雇用なき成長が続いている。

オックスフォード大学マーティンスクールのカール・ベネディクト・フレイ教授（Carl Benedikt Frey）とマイケル・オズボーン准教授（Michael A. Osborne）が発表した報告書「雇用の未来」（The Future of Employment）によれば、自動化と技術発展によって2033年までに現存する職業の47％は消える可能性が高いという。他にも未来の雇用減少に関する研究は無数に存在している。医師や弁護士、教授など、専門職としての待遇を受けていた職業であっても、他の職業と同様にロボットによる代替の可能性があるのだ。

特に組織ありきでマニュアル化させることができる職種は、代替の優先順位が高い。一方で生き残る職種はクリエーター系だ。個人の力量が求められる領域だからである。彼らはロケーション・インディペンデントやデジタルノマドにおいても相対的に有利だといえよう。

イギリスの出版メディア「ワークプレイスインサイト」（Workplace Insight）の報告書「Top global industries leading the way in remote work」（2018・10）によると、ソフトウェア開発をはじめとしたＩＴ技術部門におけるテレワーク職種の割合は29・２％で、マーケティング部門では24・５％だった。テレワークが活発に行われている職種ということである。

ＩＴとマーケティング分野でテレワークが活性化したのは、業務の特性上、一人でできる仕事が多いからであるが、今後はもっと多様な職種でテレワークが可能になっていくだろう。

世界的経営思想家チャールズ・ハンディの著書『象とノミ』（The Elephant and the Flea, 2001）では、象にたとえられる大企業が再編され、ノミにたとえられるフリーランスを中心とした雇用文化が実現すると述べている。大規模な組織に頼らず、独立して実力を発揮できる人材になるべきだという主張を、２００１年の時点ですでにしていたのだ。もちろん、当時は彼の主張を積極的に受け入れる人は少なかった。そうした未来が訪れるということに共感はできたとしても、自ら大企業という組織を離れ、実際にフリーランスとしての人生を始めることは容易ではない。それでも、時間が経つにつれて徐々に彼の主張に従い独立する人が現れてきた。

私たちが一つの職場で長い間働き、家を買って定着したのは、本能的な理由からではなく、その時代の雇用やライフスタイル、そして社会的な欲求のためだった。もはや終身雇用は望むものでもないし可能でもない。国家の壁はなくなり、言語や文化の壁も過去とは比較にならないほど低くなってきた。コンピューターの前で仕事をしていると、ここがソウルなのか、ニューヨークなのか、チェンマイなのか、オフィスなのか、カフェなのか、走行中の電車の中なのかすら分からない。コンピューターとスマートフォンを使えば、私たちは世界中のどこにでも接続でき、世界中の誰とでもつながることができる。アンコンタクトの時代は、物理的な制約から離れ、むしろより多くの人やチャンスとコンタクトできるのだ。

株主総会の電子投票に、なぜ10年もかかったか?

2001年にコスダックに上場した慶南製薬（1993年設立）は、2018年に会計処理違反などで株の売買が停止され、一時上場廃止の危機に陥った。そして21カ月の取引中止の末、2019年12月に取引が再開された。きっかけとなったのは2019年5月の株主総会で実施された電子投票だった。それまで慶南製薬の株主総会は、本社のある慶尚南道の宜寧《ウィリョン》で行われていた。だが、平日の昼間に株主総会のために地方まで行くというのは容易ではない。そのため定足数未達で株主総会そのものが白紙化されるというのが慣例となっていた。経営陣を牽制する方法が事実上なかったことが、結果として会社の危機を招いたのだ。

しかし、オンラインによる電子投票を取り入れた2019年5月の株主総会では、株主の57%が参加して議決定足数に達し、経営陣の入れ替え案が可決された。開会から投票、閉会に至るまで8分もかからなかったという。電子投票の結果、企業の財務構造が改善され、上場再開までかなったのだ。慶南製薬の2019年の年商は前年比8%増、2019年12月末現在の負債比率は前年同期比84%減となった。もし慶南製薬が株主総会でオンライン電子投票を行わず、従来のようなオフライン株主総会だけを行っていたら、どうなっていただろうか？

経営の重要事案について議決する株主総会は、大株主の利害関係を理由にオフラインに固執していることが多い。株主総会の効率性というよりは別の問題で電子投票に消極的なケースが多かった。株の取引自体はパソコンやモバイルを使ってリアルタイムで行うのが当たり前という時代に、株主総会の議決だけがオンラインやモバイルで参加する電子投票に馴染まないなど話にならない。結局のところ、これは技術的問題でも文化的問題でもない、大株主の利害の問題なのだ。少額投資家の権利を向上させ、株主総会の費用を減らし、効率性と透明性を高めるために導入されたのが電子投票制だ。

電子投票とは、株主総会開催前の10日間〔訳者注：日本では日数の指定はなく「総会日時の直前の営業日の営業時間終了時まで」が一般的）、株主らがオンラインで議決権を行使できる制度だ。株主総会当日に出席する必要もなく、本人認証さえすれば、スマートフォンでもパソコンでも議決権を行使できる。

上場企業の株主総会における電子投票システムは、アメリカとイギリスでは2000年から、日本では2001年、韓国では2010年から導入された。さらに、トルコに至っては2012年から全ての上場企業に対して、台湾では株主数1万人以上で資本金20億台湾ドル（72億8000万円）以上の企業に対して、インドでは株主数100人以上の企業に対して、電子投票制を義務化している。イギリスは証券決済システムCRESTの登録株式のうち90％以上で電子投票を行っている。日本は東証一部上場企業のうち、時価総額1兆円以上の企業における電子投票利用率は95％だ。

韓国における電子投票導入10年目にあたる2019年、韓国預託決済院を通して定期株主総会の電子投票を行った企業は581社で、全上場企業2354社のうち4分の1にすぎなかった。2020年2月現在、電子投票が可能な会社はコスピで461社、コスダックで1064社、その他では125社だ。合計で1650社になるものの、全体から見れば70％にすぎず、30％の企業では電子投票自体が不可能な状態である。しかも、施行可能な会社の中でも実際に施行しているところは一部だった。

2019年の総議決権のうち、電子投票による議決権の行使比率は4・94％にとどまった。特にSKグループ以外の韓国四大グループ（サムスン、現代自動車、SK、LG）は、電子投票に消極的だった。ＳＫグループは、ＳＫイノベーションで２０１７年から、ＳＫテレコムで２０１８年から、ＳＫハイニックスで２０１９年から電子投票を導入するなど、主要グループ会社でも施行するほど積極的だ。

サムスンや現代自動車グループも、２０２０年の株主総会からは一転して導入している。現代自動車グループは、２０２０年の株主総会から現代自動車をはじめ、全ての上場グループ会社で電子投票制を実施しており、サムスン電子も２０２０年の株主総会では初めて電子投票を実施した。ＬＧグループは相変わらず伝統方式を固持しているが、四大グループのうち三つにおける全ての中核グループ会社が電子投票制を実施したのだ。

このほか、ＣＪグループも２０２０年の株主総会では、全ての上場グループ会社において電子投票を行う。２０１８年の2社、２０１９年の3社に続き、２０２０年に残りの3社も実施することになれば、ＣＪグループは上場グループ会社8社全てで電子投票を行うことになる。新世界グループは２０１９年に実施した通り、２０２０年も全てのグループ会社で電子投票を行っている。現代百貨店グループも、２０２０年は上場している七つのグループ会社で、株主総会の電子投票を行った。

韓国を代表するグローバル企業サムスン電子と現代自動車さえ、国内で電子投票制が可能になってから10年も過ぎての導入だった。それですら、新型コロナウイルスというきっかけがなければ、もっと先延ばしされていたかもしれない。やむを得ず受け入れたのであって、少なくとも10年間は率先して導入する気がなかったのだ。

当然、電子投票を実施する企業であってもオフライン株主総会は行う。2020年の株主総会会場は、マスクをつけた人しか入れないといっても過言ではないほど、マスクと消毒剤による管理が徹底されていた。本来、電子投票は対面接触による伝染病感染リスクからの回避ではなく、少額投資家の議決権保護を目的として始まったもので、議決における効率性や透明性を高めるためのものだ。人間同士が集まって行ってきた方式では、少数が示し合わせれば意思決定を独占できてしまう。電子投票はこれに対する対応であり、改善的な代案として選択されたものである。

各企業が消極的なことに対しては、株主も消極的だ。2019年は株主の電子投票参加率も低かった。韓国預託決済院によれば、2019年は電子投票対象株主999万人のうち、実際に投票に参加した株主は11万3000人で、参加率は1・13%に過ぎなかった。しかし、2020年の電子投票参加率は急騰する。消極的だった企業が変化を受け入れるようになり、株主もその変化に賛同しているからだ。

主要な大企業が積極的に受け入れれば、その他の企業にも広がる可能性が高まる。もちろん、こうした変化は時代の変化に合わせて透明な議決環境を作ろうとした結果ではなく、新型コロナウイルスによるところが大きい。新型コロナウイルスが、10年間拒まれてきた株主総会の電子投票制を積極的に受け入れさせる決定的な契機になったのだ。

変化を導く上で合理性よりも不安感の方が力を発揮することがある。一度変化したものは元に戻すのが難しい。変化が起きた事実は変えられないからだ。新型コロナウイルスはオンライン株主総会や電子投票制に風穴を開けた。これにより今後さらに多くの企業が電子投票制を実施するようになるだろう。

世界で最も早く電子投票制を開始した国であり、世界のＩＴ産業の中心でもあるアメリカですら、電子投票制は義務ではない。電子投票制は企業の自律的選択によるものであり、使用比率もそれほど高くはなかった。しかし、新型コロナウイルスをきっかけに多くの企業が株主総会をオンラインに切り替え始めている。

電子投票は進むか？

大規模展示会の真の目的

「Google I/O」は、２００８年に始まった最新技術を披露する開発者カンファレンスで、グーグル最大の年次イベントの一つだ。世界が注目するこのITイベントも、2020年は新型コロナウイルスのために中止された。同様の理由で世界最大の通信展示会「MWC2020」も中止されている。毎年200余カ国から10万人以上が参加してきたこの展示会は、33年目にして初の中止となった。

フェイスブックの開発者カンファレンス「F8 2020」とグローバル・マーケティング・サミットも中止された。マイクロソフトの専門家コミュニティイベントであるMVPグローバルサミットもオフラインでは中止された。ミラノサローネ国際家具見本市やドイツの産業博覧会ハノーバーメッセ、CESアジア2020、アジアのダボス会議と呼ばれるボアオ・アジア・フォーラムなども延期や中止になっている。

前述したもの以外にも数多くの世界的なカンファレンスや展示会が中止になった。こうした国際的大規模行事は、少なくとも数カ月から1年前には準備を始める。すでに膨大な費用が投資されていたはずだ。関連業界がパニックに陥るほど前代未聞の出来事だった。2020年上半期の世界的行事や展示会でキャンセルラッシュが起きたのは、全て新型コロナウイルスのせいだ。「2020ミラノ・ファッションウィーク」（2020年2月18〜24日）は中止されず強行されたイベントの一つだったが、のちに参加者の中から多くのコロナ感染者が見つかり混乱を招いている。

大規模な展示会やカンファレンスでは大きな経済効果が得られるものだ。そのため、中止や

国際的イベントはもはや開催困難

延期となればそれだけ膨大な損失がともなう。毎年1月にアメリカ・ラスベガスで開かれる世界有数の展示会CESは、たった4日間で2億ドル（約214億円）以上の直接的な経済効果を生み出す。ギャンブルの街として知られるラスベガスは、実はMICEの街なのだ。MICEとは企業の会議やコンベンション、博覧会や展示会などを総称する言葉である。

ラスベガスはMICEで年間約100億ドルの経済効果を上げている。2018年にラスベガスを訪れた訪問者4200万人のうち650万人がコンベンションや展示会など、MICEへの参加を目的とした人たちだった。

現代経済研究院の報告書「韓国のMICE産業における競争力の現況と示唆点」（2014年3月）によると、世界のMICE産業規模は2012年時点で1兆612億ドル（当時の為替レートで約84兆9000億円）だった。2009年の産業規模8530億ドルが、2012年までの3年間で2082億ドルも増加するという急激な成長ぶりである。業界は2017年の産業規模を1

兆5000億ドル（当時の為替レートで168兆円）と試算した。

韓国観光公社によれば、韓国のMICE市場（直接生産誘発効果で推算）は2012年時点で約24兆8000億ウォン（当時の為替レートで1兆7300億円）だという。現代経済研究院では、国内のMICE市場を2011年時点で約19兆2000億ウォンと試算した。両機関の数値に差があったとしても、年間市場規模は20兆ウォン程度になるわけだ。その後も成長を続けていると考えれば、現在はより大きな市場になっているはずだ。ところが、2020年第1四半期は全ての状況が変わってしまった。新型コロナウイルスのパンデミックがMICE市場をパニックに陥れたのだ。2020年は第1四半期だけでなく、上半期を通して多くのMICEイベントが中止になった。

大型展示会や行事に人々が集まれば、最新技術を共有できるだけでなく、参加者同士のネットワークが生まれ、それによりビジネスも連結する。つまり、対面による接触が重要となる文化である。伝染病のリスクはそこに新たな代案を求めた。2020年のアップル開発者カンファレンス「WWDC, Worldwide Developers Conference」は、1987年に始まって以来初めて、全てのセッションをオンラインで行うことにした。

中止ではなくオンラインを選択したわけだが、実はWWDCは、すでに数年前からインターネットによる生中継が中心のイベントになっている。ほぼ全ての発表セッションがイベント会場ではなくアップルパークの一部のスタジオで行われており、それがインターネットで生中継されるのだ。発表セッションの映像は中継が終わった後も視聴可能だ。スティーブ・ジョブズ・シアターのような大規模空間で行うのは基調演説だけである。つまり、対面中心のイベントは非対面中心へと移行中だったわけだ。これは伝染病対策ではなく、今後私たちが目指すべき道だったのである。

オフラインイベントでは入場人数が制限されるが、全世界を対象にしたオンライン中継であれば、より多くの人が参加可能になる。もちろん、セッションを中継するにはオンラインの方が効果的だが、イベントを通じた人々の交流に関しては、いまだにオフラインの方が効果的だと考える人が多い。対面による交流に馴染みがあるからだ。とはいえ、オンラインで円滑に交流する方法を見つけることも重要だ。コンタクト時代の交流方法は誰もがよく知っている。

アンコンタクト時代に見合った交流方法は今後解決しなければならない課題だ。様々な試みによって、より効率的かつ効果的な方法を探っていかなければならない。2020年以降は、アンコンタクト環境にあった交流方法に関する挑戦が増えるだろう。

備えのある危機は本当の危機ではない。初めて直面する危機であれば、なすすべがなくても言い訳ができる。しかし、経験済みの危機で何度も危機を迎えるのは問題だ。だから探求しなければならない。新型コロナウイルスをしのぐ伝染病は、いつまた発生してもおかしくないのだ。気候危機問題をはじめとしたリスクと不安は、依然として私たちの目の前にいくつも立ちはだかっている。かつての当たり前だけを信じてビジネスをするわけにはいかない。変化への対応は、常に極端な状況にも対処できる必要がある。グローバル企業であれば、なおさらだ。世界各地でビジネスをするということは、世界各地で危機に直面し得るということだ。リスクの軽減は企業として避けられない課題である。

もはや金融投資関連セミナーまでオンライン化される時代だ。これまでの金融投資関連セミナーは、圧倒的にオフラインが主流で、オンラインは支流だった。これが変わりつつある。未来アセット資産運用社が２０２０年２月に行った「第四次産業ＥＴＦ投資戦略」ウェブセミナー（2020年2月27日）では、申請者２８００人、同時接続者数１２８０人を記録した。

ファンドマネジャーが投資戦略を説明するユーチューブのライブチャンネルは、限定ＵＲＬを伝えられている事前申請者のみ視聴できる。未来アセット資産運用は２０１９年６月から毎月2〜3回ウェブセミナーを開設してきたが、これまでの同時接続者数は２００〜３００人程度だった。キウム証券のオンライン投資教育プログラム申請者も、２０１９年12月の５０６３人から２０２０年2月は７８２２人に増加した。ハナ金融投資の「ハナテレビ」、キウム証券の「チャンネルＫ」、韓国投資証券の「バンキス」など、同業他社のユーチューブチャンネルもアクセス数が急増している。

新型コロナウイルスによって対面接触が制限されたため、セミナーと投資情報がオンラインを中心に提供されるようになった。オンラインセミナーは、オフラインより費用が抑えられ、空間の制約がないため、より多くの人に情報を提供できる。そういう意味でいえばオンラインの活性化は金融や投資を扱う全ての企業にとってポジティブな要素だ。一方で、出席者との交流効果は制限されてしまう。金融・投資会社が投資セミナーを行うのは、情報共有をするためだけではない。自社の新規顧客を確保するためでもある。

オンライン投資セミナーの拡散によって投資家は今まで以上に恩恵を得られるようになる。わざわざ出向かなくてもオフラインセミナーへの参加では、費用と時間を節約できるというメリットがある。オフラインセミナーへの依存度を下げることができる。これまでは、オフラインセミナーの出席者と同じ情報が得られるため、オフラインセミナーの方がより良質でより深い情報を得られると考える人が多かった。だがオンライン中心への転換によって、こうした認識は変わりつつある。むしろ数社のセミナーを比較し、よりよい企業を選ぶ基準が見つかるかもしれないのだ。とはいえ、高齢者やモバイル・オンライン環境に不慣れな投資家にとっては不便である。

デジタル・ディバイド（Digital Divide, 情報格差）の問題はどの分野でも起こる。いずれにしても、不安とリスクを解消しながらコンタクトし、交流によるビジネスを続けるためには、アンコンタクトを効果的に使える必要があるのだ。私たちはコンタクトを捨てようと言っているのではない。コンタクトを守るための道具として、アンコンタクトを使おうと言っているのだ。

新たな社員教育システム

ＬＧユープラスは、２０２０年2月4日から3月3日までの１カ月間の新入社員教育を１００％オンラインで行った。既存の新入社員教育は集合教育の頂点といっても過言ではない。たいていの場合、２週間から１カ月、あるいはそれ以上の期間をかけて合宿し、教育と生活をする。

教育を通じて業務の素養を積むだけでなく、企業文化を学び、愛社精神を芽生えさせ、同期との絆も深めさせていた。部分的に海兵隊キャンプにも参加し、行軍や山岳訓練など厳しい団体活動をすることもあった。こうした活動を通じて、集団主義や組織に対する忠誠心、同僚に対する信頼を築かせていたのだ。

序列を重視し、忠誠心と上命下服の軍隊文化が深く浸透している韓国企業では、集合教育に重きを置く。その中でも新入社員教育は最も重要な集合教育の一つだった。しかし、新型コロナウイルスのため、集合教育をモバイル教育に切り替えることになった。教育課程は全てＬＧユープラス麻谷《マゴク》社屋の放送スタジオにいる講師らによってモバイル上で生配信され、リアルタイムでコミュニケーションもはかれるようにしている。修了式さえ非対面のオンライン生放送で済ませることになった。

これは特異な事例ではない。2020年1月20日に韓国で最初の感染者が見つかってから、新型コロナウイルスへの対応として企業の集合教育は全て中止された。彼らの選択は延期か中止、もしくはオンラインへの転換だった。韓国企業の中で数十年間続いてきた教育方式が大きく変わったのだ。

これまで企業の教育市場は講演会とワークショップ形式のオフライン教育が中心だった。新入社員教育でも、各職級別の昇進者教育でも、役員教育ですら、合宿による団体教育が年中行われていた。オンラインによるEラーニングもあるにはあるが、中身がともない、実質的効果があるのはオフライン教育だという認識が強かった。「対面してこそ仕事だ」という韓国式の考え方が根強いため、Eラーニングが活用されるのは法定義務教育〔訳者注：年1回行うことを義務付けられているセクハラ予防や個人情報保護などに関する従業員への必須教育〕や資格試験、実務関連の教育のみで、ビジネスに直結する分野では実際に人が集まった。単に講演を聞くだけではなく、集まった人々の交流と討論を期待しているからだ。主要な大企業では毎月、あるいは四半期ごとに全ての役員と従業員が集まって講演を聞くのが一般的だ。中には毎週講演を開くような企業もある。

韓国の講演会市場は2010年代以降に急成長した。著名人をはじめとした専門家による講演会に参加し、話を聞くという文化が広まったのだ。この流れは大企業だけでなく中小企業にも広がり、官公庁や自治体にまで拡大した。講演会市場だけでも年間兆単位を超え、オン・オフラインによる企業向け教育市場は全体で数兆ウォン規模になる。ところが、この市場の中心であるオフライン教育市場が全面中止になったのだ。

同市場で教育を代行・運営していた講演会エージェンシーや教育専門企業は、新型コロナウイルスによって大きな打撃を受けた。2020年第1四半期は最悪で、2020年上半期全体で見ても過去最大の危機を迎えている。同期間に財政的な打撃を受けて倒産したり、リストラを行ったりした講演会エージェンシーも多かった。

これらの業界としてはこれを機にオフライン教育からオンラインによる非対面教育への転換を模索せざるを得なかった。教育専門企業のヒューネットには、2020年2月からオフライン教育をEラーニングに切り替えてほしいという依頼が急増した。新型コロナウイルス拡散初期の2月中旬までは1~2件だった依頼が、2月の最終週には40件に増えた。

最初はしばらく延期しておいて状況改善後に再開しようと考えていたものの、長期化の兆しが見え始めたため、いっそオンラインに転換しようという発想になったのだ。職員に教育をさせなければならない企業としても、教育運営を代行する教育関連企業としても、リスクのあるオフライン教育の代わりにオンライン教育に切り替えるしかなかった。

オフライン教育とオンライン教育には、それぞれ長所と短所がある。二つのうちの一つに集約するということはできず、ハイブリッドで並行運用するしかない。とはいえ、オフライン教育が難しい現状では、これをオンラインに転換させなければならない。しかしこれは技術的な転換だけで済む問題ではない。オフラインとオンラインでは、コンテンツの作成方式にも違いがあるのだ。単にオフライン教育を撮影してオンラインにするだけでは成立しない。オフライン教育の長所をオンラインに移行するためには、コンテンツの作成に一層の努力と時間、費用が必要になる。60分間のオフライン講演会より、10分間のオンライン教育動画を作る方が時間と費用がかかるのだ。

Eラーニングに VRを取り入れる企業も

大企業にいる既存の教育担当者はオフライン教育に慣れており、これに関連した進行や運営、評価についての経験を長く積んでいる。しかし、Eラーニングに関しては相対的に経験が浅く不慣れだ。初期費用の投資が必要な分野なので適用は制限的で、外部のEラーニング専門会社のコンテンツを有料で利用することが多かった。新型コロナウイルスが収束すればオフライン教育は再開されるだろうが、過去と同じようにはいかないだろう。その後もEラーニングを続けようとする企業もかなりあるはずだ。モバイルとオンラインによる社員のための独自コンテンツ制作に投資する企業も増えると予想される。

従業員の教育は、企業にとって今後ますます重要な課題になる。新型コロナウイルスをきっかけに、コンタクト中心の教育からアンコンタクト中心の教育へのシフトチェンジがリスク削減の方法であると認識するようになった。教育分野が目指す未来の教育方式だったエデュテック（Edutech）は、アンコンタクト時代でも効果的だ。

エデュテックで使われる技術の一つが、仮想現実や拡張現実、複合現実などによって目の前で実際に体験したような実感が得られる技術だ。臨場感とリアリティを高め、利用者を教育コンテンツに没頭させるためには、ただコンテンツを作るだけでなく、教育者と被教育者が非対面の状態であっても没入感を高められるよう、絶えず研究し開発することが必要になる。

さらにIoT、クラウド、5G技術といった教育者と被教育者を結び付けるネットワークも重要だ。そして最も決定的な技術はビッグデータと人工知能である。一方的な教育伝達ではなく、学習者個人の達成状況の把握はもとより、各自に最適の教育方法やコンテンツで、扱う事例や話し方すらカスタマイズし、最も効果的な方法を模索するのだ。

従来の教育の限界は時空間の制約であり、これは個々人に合わせたオーダーメイドの教育が不可能であることを意味していた。オンライン教育で一部解消してはいるものの、オフライン教育のもつ没入感とリアルタイムな相互関係という面では大きく不足していた。そうした中でエデュテックが目指すのは、オフラインとオンラインの教育の長所を掛け合わせ、最も知能的で最もカスタマイズされた教育の具現化だ。これは企業内教育や成人教育だけでなく、学校教育において最も必要になる。エデュテック市場は間違いなく未来の教育市場の中心になる。

市場調査会社「HolonIQ」の2019年12月の発表によれば、2018年の全世界のエデュテック市場は1520億ドル（約16兆2600億円）で、2025年には3420億ドルにまで成長するという。7兆8000億ドルと予想される2025年の世界の教育市場におけるエデュテック市場の割合は4・4％とのことだ。2018年時点で教育市場全体に占めるエデュテック市場の割合は2・6％だった。教育市場におけるエデュテックの比重は今後ますます高まっていくはずだ。

HolonIQの予想した2030年の全世界の教育市場規模は10兆ドルなので、このうちエデュテックが占める割合が10％だとしても1兆ドルになる。グーグルがクラウドベースの知能型グループウェア「G Suite」と学習管理システム「Google Classroom」を積極的に普及させているることや、マイクロソフトがMS-Officeを活用した学習共有サービス「Office 365 Education」を無料配布し、マインクラフト（Minecraft）のような教育用ゲームを普及させているのも、エデュテック市場を念頭においてのことである。

ホームスクーリングの長所と短所

伝染病に最も脆弱なのが集団生活だ。代表的な集団生活の一つが、他ならぬ教室の授業である。限られた空間の中で多くの学生が密集し授業を聞く。かつては前方の教師を見るように机が配置され、教師の話を一方的に聞き、書き取っていたが、今はU字形や円形に机を並べお互いに討論しやすくしているところも多い。昔に比べて1クラス当たりの学生数は減ったものの、互いが至近距離で授業をすることに変わりはない。

授業では発表し、討論して語る。感染者が一人いれば、短時間で感染が広がりやすい環境だ。一つの教室が他の教室と完璧に断絶しているわけではない。同じ学校なら同じ動線を通り、同じトイレ、同じカフェテリアを利用することになるため感染管理が難しい。伝染病が発生した場合に、感染拡大を防ぐ一番簡単な方法は休校だ。しかし、最も悩ましい選択でもある。伝染病を防ぐことができても、学校としての本来の機能を果たすことはできなくなるからだ。そして授業や学校行事が中止されると、関連する利害関係によって様々な問題が発生する。

そのため、新型コロナウイルスで混乱に陥った学校は、より根本的な代案を作らねばならないのだ。密集した空間において対面で進めてきた伝統的な授業方式の欠点がコロナをきっかけに浮き彫りになった。コロナのような問題が今後二度と起こらないという保証はなく、むしろ頻繁に起こる可能性すら排除できない状況だ。コロナをきっかけに求められる学校と授業の全般的な変化は、エデュテックに解決策を求める可能性が高い。

ホームスクーリング（Home Schooling）とは、学校に行かず自宅で小・中・高校の教科課程を学習することだ。ホームスクーリングをする理由は様々だが、公教育に対する不信感がきっかけになることが多い。学校では往々にして、子どもの特性に合わせるよりも画一的で普遍的な学習の進め方をする。それにより芽生えた、教育内容だけでなく教育方式に対する不信感が、ホームスクーリングを選択する上で大きな理由となるのだ。

今後は、そこにもう一つの理由が追加される可能性がある。それこそ、「安全に対する不安」だ。少なくとも、ホームスクーリングであれば集団生活による伝染病感染の恐怖からは解放されるからだ。

確かに、ホームスクーリングは長所と短所を併せもっている。アメリカやイギリス、フィンランドのように合法化し積極的に行う国もあるが、ドイツやスウェーデンのように違法としている国もある。小中は義務教育ということもあり、ホームスクーリングに対する各国の見解が異なるのだ。韓国では、小中等教育法第14条（就学義務の免除など）に従い、就学の不可事由（疾病、発育状態などやむを得ない事由）をもって申請すれば就学義務が免除されるものの、極めて制限的な状況である。

もしホームスクーリングの長所と学校教育の長所を掛け合わせることができたらどうだろうか？　もしくは、拡張現実を使って学校教育を自宅にいながら受けたらどうだろうか？　それこそ、エデュテックが実現する未来である。

情報伝達については、メディアやパソコンのように、人の力がなくてもうまく機能するツールがすでに多く存在している。質問と討論、批判や問題提起などを、いかにうまく引き出せるかが人間の役割だ。これは個々人の努力によるのではなく、システム化すべき部分である。今現在も、そうしたことが得意な教師や教授はいる。しかしそれは各自の個人的な能力によるものだ。教育システムにおいては、個人の能力によって授業の品質差が生まれてはならない。

エデュテックは従来の学校の授業方式を全面的に変えることになる。ここまでは誰もが共感する内容だ。教師や学生、教育界も理解している。それでも慣れ親しんだ慣習が抵抗し、エデュテックの積極的な受け入れを拒むのだ。単なる技術ではない、文化や社会に結びついた技術的進化が求められている。

ムーク（MOOC, Massive Open Online Course）とは、受講人数に制限がなく、全ての人に開かれ、オンラインで授業を行い、事前に決められた学習目標によって構成された正式な講座のことである。時間と空間の制約によって教育を受けられない人が出ないよう、夢のために誰もが自身の望む勉強をできるよう生み出されたのがムークだ。代表的なムークサービスを行うグローバルオンライン教育のプラットフォームとしては、コーセラ（Coursera）、エデックス（edX）、Udacityなどがある。

コーセラは、新型コロナウイルスによって正常な学校運営ができなくなった全世界の大学に対し、希望があればコーセラフォーキャンパス（Coursera for Campus）を2020年3月から9月末まで無料で提供するとしている。2020年の1学期分の授業に相当し、3800以上のコースと400以上の専門講座が提供される。オンライン授業の準備が整っていないのなら、独自で作るよりコーセラを利用すべしということだ。

コーセラは2012年に設立され、デューク大学、イェール大学、プリンストン大学、スタンフォード大学、ペンシルベニア大学、バークリー音楽大学、カーネギーメロン大学、ジョージア工科大学、ジョンズ・ホプキンス大学、ジョージワシントン大学、韓国科学技術院、延世大学、清華大学、東京大学、シンガポール国立大学、香港大学、ロンドン大学、コペンハーゲン大学、ジュネーブ大学、バルセロナ大学、シドニー大学、ミュンヘン工科大学など、世界の主要名門大学をはじめ、グーグル、IBM、インテル、シスコ、アマゾンに至るまで、200以上の大学や企業と提携している。コーセラが提供する、有数の大学や企業で開発した教育及び自己啓発プログラムを利用するビジネス顧客、すなわち企業は2000社以上だ。会社員や学生も知識の向上や学位取得のためなど多岐にわたって利用しており、利用者数は2012年から2019年までで4500万人以上に上るという。

コーセラの講義は基本的に無料で提供されるが、修了証を取得するには有料での登録が必要になる。アリゾナ州立大学、ロンドン大学、ミシガン大学などと連携した学士、修士課程のオンライン課程も開設されており、学位課程の取得期間は1～3年だ。イリノイ大学は、8万ドル（856万円）のMBA課程を2万ドルのオンラインMBA課程として提供しており、ペンシルベニア大学ウォートン・スクールでは、MBA学位課程ではないが、五つのコースの専門講座を600ドル程度で提供した。ムークは、大学にとっても新たなビジネスチャンスになる。オフライン教育が中心だったプログラムを、オンラインとの並行や完全オンライン化することによって、世界中の学生を受け入れられるようになるからだ。

ジョージア工科大学の場合、Udacityプラットフォームを利用してオフラインでは2013年から3学期分4万5000ドルで行っている正規のコンピューター科学修士課程（Online Master of Science in Computer Science）を、ムークでは7000ドルで提供している。ジョージア工科大学の学生と同じ内容を学び、同一の基準で評価され、同じ学位を取得できる。もちろん、オンラインだからといって内容が簡単になるわけではないので、オフラインの学生に比べれば学位取得率は低いかもしれないが、世界中どこにいてもジョージア工科大学の修士課程を受けられるというメリットがある。2016年時点で、86カ国の3000人余りが同課程に登録した。ムークを利用し、修士課程を7000ドルで提供するのだ。

MITスローン経営大学院がエデックスのプラットフォームを使って提供する、通常2学期制で8万ドル程度かかるSCM（サプライ・チェーン・マネジメント）のMBA課程5コース（1コース当たり1万6000ドル）は、授業と期末試験費を含めた費用の合計が1500ドル程度で、1学期修了後にはマイクロ修士資格証（Micro Masters Credential）を取得できるようになっている。マイクロ修士資格を取得した学生のうち希望者は、一定の審査を通れば4万ドル程度で残りの1学期間、MIT大学のキャンパス内で行われる講座を履修できるようになる。その場合、SCMの修士学位（Blended SCM Master's Degree）の取得が可能だ。オンラインとオフラインを融合した課程といえる。

ムークを利用してオンラインだけで授業するミネルバ大学（Minerva Schools）も素晴らしい教育モデルである。2014年に開校したミネルバ大学は、キャンパスも講義室もない正規の大学だ。オンラインで事前に授業資料を学習してから参加する自主的なオンライン講義プラットフォーム「アクティブ・ラーニング・フォーラム」では、教授と学生が毎晩リアルタイムでディスカッション形式の授業を行う。学習の密度は、オフラインによる従来の大学に比べて、むしろ濃いとの評価もある。

学生たちは、1年生の時にはサンフランシスコ、2年生ではソウルとハイデラバード（インド）、3年生ではベルリンとブエノスアイレス、4年生ではロンドンと台北というように、4年間で世界7都市を回り生活しながら学業を進める。オンラインで授業することで、キャンパスを全世界に移すことができるのだ。授業料は年間1万3000ドル程度で、アイビー・リーグの3分の1程度だ。

アイビー・リーグ水準の教育をより安価で提供することも、ミネルバ大学の目標だ。ミネルバ大学のために作ったオンライン学習資料をはじめ、世界の名門大学が提供する様々なプラットフォーム上の学習資料も積極的に活用している。一方的な知識伝達ではなく、自発的かつ主導的な学習能力を育てることが同校の教育方針だ。学位自体ではなく、卒業後も自ら学ぶことができる能力を育て、世界を舞台に働き、暮らしていくグローバル人材を育てようとしているのである。

オンラインとエデュテックの長所をうまく活用した新たな大学モデルだ。志願者は、2014年2500人余り、2015年1万1000人余り、2016年1万6000人余り、2017年2万3000人で、年々増加傾向を見せている。特に2017年に関しては、同時期のハーバード大学の合格率が4・6%だったのに対し、ミネルバ大学の合格率は1・9%だった。両校を単純に比較することはできないが、ミネルバ大学の人気とハードルの高さをうかがわせる数字である。新しい教育モデルへの関心と期待が高まっているということを感じさせる事例だ。

伝統的な大学はこれまでオフライン上の広いキャンパスと多くの建物によって不動産価値を高め、スポーツチームを運営し、積極的に収益事業と投資を行ってきた。大学は学生のために存在しているのか、大学のビジネスのために学生が存在しているのか。そう問題提起されても仕方がない状況だった。

大学の中心を教育にする上では、むしろオンライン基盤の非対面モデルが効力を発揮し得る。ミネルバ・プロジェクト（Minerva Project）の設立者兼ＣＥＯであるベン・ネルソン（Ben Nelson）は、ミネルバ大学創設にあたり、こうした問題意識を抱いていたそうだ。

過去の方式に止まっていては、もはや従来の大学に競争力はなく、現代においては4年制大学の学位がもつ意味も変わってきたため、大学教育も目標を変える必要がある。かつてはやりたくてもできなかったことが、エデュテック技術によって現代では実現可能になった。図らずも、この変化の方式もアンコンタクトである。アンコンタクトは突然始まったのではなく、すでに進行中だったというわけだ。

大学教育の無駄

コロナ問題が長期化すると世界中の大学が開校延期や休校に踏み切った。国として休校令を出したイタリア、スペインを筆頭に、ヨーロッパの多くの国で大学が開校延期や休校となった。

アメリカや韓国も同様である。

新学期を先送りするにも限界がある。休校も急場しのぎに過ぎない。授業は行われるべきだ。職員の雇用問題も起こるだろう。授業料の問題や大学の財政という問題も発生する。

そこで選択されるのが、授業のオンライン講座化である。アメリカでは、ハーバード大学、イェール大学、プリンストン大学、コロンビア大学、スタンフォード大学をはじめとした全域の大学で授業をオンライン化した。オフライン教育の基盤であった大学が、一瞬にしてオンライン講座に転換することになったのだ。オンラインでもいいから授業を続けようという試みは、韓国の大学でも行われている。しかし、ここではいくつかの問題が発生する。

一つ目は教育の品質だ。オフラインの授業を撮影しただけの映像をアップロードしても、オンライン授業にはならない。オンライン授業に合ったコンテンツ構成と教育方式、運営方式、評価方式というものがあるのだ。オンラインを基盤とした通信制大学では、長年にわたる試行錯誤から少しずつノウハウを蓄積し、やり方を進化させてきているが、従来の大学教授がそれを一夜にして取り入れることは不可能だ。教授がカメラの前に立ち、急場しのぎで従来のオフライン授業をオンライン化させたのでは、当然教育の質が低下する。実際に韓国の大学の事例を見ると、授業資料に声を録音しただけというものや、リアルタイムな授業ではなく録画映像を流すだけという場合も多い。

オンライン未経験の教授が行っているため、授業資料も非常に初歩的な方法で作られており、通信制大学の黎明期より水準が劣る場合も多い。今の学生は受験時にオンライン動画による教育を受けてきた世代だというのにだ。

ただ撮影するだけなのに、何が難しいのだと言う人もいるだろう。しかし実際はかなり違うのだ。同一の空間でアイコンタクトしながら行われる教室の授業と、モニター越しに見る講義映像は違う。オンライン授業の準備には、オフライン授業よりも多くの資金と時間、そして努力が必要になる。いや、そうしなければオフライン授業と同等の効果を収められないのだ。そのため大学でもこの問題に対する根本的な代案の模索が必要になった。

誠信女子大学の新型コロナウイルス災害時局宣言〔訳者注：「時局宣言」とは、国内外の大きな問題に対して状況改善を求める行為を指す〕

二つ目は資金の問題だ。韓国の大学ではオンライン講義への転換後、学生たちから授業料の引き下げや払い戻しの要求があった。同様の現象はアメリカでも起きている。特にアメリカの大学は1年間の学費が韓国より3万～4万ドル（約320万～420万円）高く、ハーバード、イェール、ブラウン、コーネルなどでは授業料だけで約5万ドルだ。それほどの大金を支払ったにもかかわらずオンライン授業を受けなければならないとしたらどうだろう？　踏み込んだ討論をすることも難しい。現在は学部だけでなく大学院もオンライン講義に転換しているが、こちらはさらに深刻だ。

このように、現状のオンライン授業では教育の質も相対的に落ちる上、キャンパス空間を享受することもできず、教授や学生たちとの交流や関係構築という面でも制約がともなう。学生の立場からすれば、授業料とはこうした付加的効果まで全て含めた費用だ。だからこそ休学を申し込む学生が増えるわけだが、これは学生にとっても時間的損失といえる。

学生だけでなく、学校も金銭的な問題を抱える。オンライン講義への転換によって追加費用が発生するからだ。オフライン空間は最初から学校の資産なので、使わないからといって出費がなくなるわけでもなく、教授や教職員の年俸を削るわけにもいかない。当たり前だったことが当たり前でなくなった時に発生する損失は、誰が補ってくれるのだろう？　大学が職員の賃金や人員の削減をする可能性もある。簡単には解決できない難しい問題だ。

三つ目はバタフライ効果だ。学校が止まれば寮も止まる。アメリカでは多くの大学で寮からの退去要請があった。こうした措置によって多くの学生が住宅難に陥っている。特にアメリカの大学寮には外国人留学生が多いのだが、彼らの中には自国に帰ることが難しい者もいる。入国規制や入国の際の隔離期間をもうけている国も多い中で、それらの措置を甘受して帰国することは、あまりにリスクが大きい。アメリカに戻る際にも隔離による不便と時間的損失が発生し得るため、結局は大学の近くに泊まるというのが一番現実的だ。当然、住居費の負担が発生することになる。

オフラインによる学校運営システムが停止すれば、そして学生街の出入りが規制されれば、関連するビジネスや関連事業の従事者が打撃を受ける。今、在学生が経験している問題は、来学期や翌年の新入生にまで影響を与える可能性がある。在学生が被る機会費用と時間的損失の余波は、彼らの1学期分だけでは終わらないかもしれないのだ。

ただでさえ大学産業は衰退しかけていた。韓国内でも今後、大学の半分が消える（それ以上に多くの大学が消えるという悲観的な予測もある）という話はかなり前からあった。現代的な意味では、世界初の大学を1088年に設立されたイタリアのボローニャ大学とすることが多いが、他にも12世期半ばに設立されたパリ大学、1167年に設立されたオックスフォード大学や1209年に設立されたケンブリッジ大学などが800〜900年前から存在しており、いまだに存在している。

変化はしてきているものの、古い大学形態から抜けきれていないものも多い。そのため、21世紀以降は大学教育に対する無用論も絶えず提起されてきた。特にIT産業が主導権を握るようになると、大学教育に対する懐疑的な見方が一層強まった。

アップルのCEOティム・クックは、ホワイトハウスで開かれた米労働力政策諮問委員会の会議で、大学で学んだ技術と企業が必要とする技術、特にコーディングに関する部分にミスマッチがあると語った。2018年にアップルがアメリカで採用した社員の約半数は4年制大学の学位をもたないという。大学に4年という歳月と高額な授業料を投資するほどの価値はないということだ。同等の資金と、それ以下の時間を使って、企業が求める資質の習得に投資した方が良いという意味である。

今の時代、大学に行くのは学位のためだ。学問研究ではなく、就職や社会進出のために、学位というものが、まるで資格証のように必要とされるためである。裏を返せば、企業が大学の学位を考慮しなくなれば、大学に入る人もその分だけ減るということだ。企業口コミサイトGlassdoorによれば、アップル、グーグル、ネットフリックス、IBM、バンク・オブ・アメリカ、ヒルトンなどは、特定の職種において大学の学位を要求していない。学位を要求しない企業は増えており、これが大学無用論の提起にもつながっている。教育が必要ないということではない。実際に、企業は社員教育により多くの資金を投資している。

アマゾンは2019年7月、7億ドル（約750億円）を投じて2025年までに10万人（社員1人当たり約7000ドルの投資）の社員をスキルアップさせる計画を発表した。この新規教育プログラムでは、社員が社内のより高度な職種に異動したり、社外の新しい職に就いたりするためのサポートに重点を置いている。

これを利用すれば、例えば物流センターのパートタイム社員であっても管理職に昇格でき、ソフトウェアエンジニア教育を受けてエンジニアになることができる。マシンラーニングユニバーシティではソフトウェアエンジニアに大学院レベルのマシンラーニング教育を行う。物流センターのパートタイム社員が看護や航空機の整備といった需要の高い分野の資格証や学位を取得できるよう、学費の95%を支援するプログラムもある。なお、これらの職種はアマゾンでは採用しないため、受講後に会社を辞めても構わない。良い人材を採用する分だけ、既存の人材にはキャリアアップ教育を施して、円滑な退社を促しているのだ。採用と退職のバランスを取ることも企業にとって重要な人材管理である。

これはアマゾンに限った話ではない。SKグループは2020年から社内大学を運営する。グループのシンクタンク（SK経営経済研究所）や教育機関（SKアカデミー）などの英知を結集させて作った「SKユニバーシティ」では、学生であるSKの全構成員が、いつでもどこでも必要な教育を申請し履修できる。

役員を含む全社員は勤務時間の10%に当たる年間200時間、自身が申請した教育課程を自主的に履修するのだ。データ基盤のAIを活用し、自身のキャリアや力量に見合った教育を自発的に選択し受講する方式である。AI、DT（訳者注：Digital Transformation, デジタルを使って製品・サービス・ビジネスモデルなどを革新するフレームのこと）、社会的価値、グローバルといったカリキュラムから始まり、順次、未来半導体やエネルギーソリューション、デザインスキル、リーダーシップ、経営一般に関するスキルといった過程へと拡大していく。SKグループのビジネス方針に合わせた教育で社員をアップグレードさせる。一方でアップグレードできない社員は淘汰されるということだ。

漢拏《ハンラ》グループに至っては、グループの会長を人事責任者に据えている。2020年1月22日の人事発表で、鄭夢元《チョンモンウォン》会長が新設されたグループ最高人事責任者（CHRO, Chief Human Resoures Officer）兼、漢拏人材開発院院長に就任した。会長自らがグループの人事や教育業務を総括し、直接HR（ヒューマンリソース）革新を指揮することになったのだ。財界ランキング40位以内にあるグループのトップが別の職責を兼任するのは異例であり、会長が人事責任者を務めるというのも、韓国の大企業としては初のケースだ。

前述した三つの事例は、いずれも最近の企業が基本的に目指すところに近い。大学の卒業証書で一生潰しが利く時代は終わり、教育を受け続け、進化しなければ生き残れない時代になった。大学がもつ権威や、大学の学位に対する企業の見方に変化が生じるのも無理はない。大学の卒業証書は就職のための評価道具の一つに過ぎないのに、そこに4年もの時間と莫大な資金を費やすことは、果たして今後も有効なのだろうか？　産業構造の変化、アンコンタクト社会への転換は大学の役割について根本的な問題を提起する。

診療所も葬儀もドライブスルー

ドライブスルーとは、主にマクドナルドやスターバックスといったファストフード業界で使われる方式で、車に乗ったまま注文し品物を受け取ることを指す。韓国では新型コロナウイルスの選別診療所〔訳者注：新型コロナウイルスの感染が疑われる患者を一般の患者と分けて診療する空間のこと〕にこの方式を応用した。

車に乗ったまま検査を受けることができ、接触も最小限に抑えられ、待機患者間の感染防止、検体採取時間の短縮、医療従事者の安全確保といった様々なメリットがある。従来の選別診療所と比べ検査過程が3分の1程度に短縮された分だけ時間も短縮されるため、検査能力は3倍に増やせることになる。

イギリスの『フィナンシャル・タイムズ』は、ドライブスルー方式が早期治療に役立ったと分析し、アメリカ『ウォール・ストリート・ジャーナル』も、韓国の検査能率はアメリカやヨーロッパ諸国とは対照的であるとして、韓国は重要なモデルになると分析した。アメリカのCNNやブルームバーグなどでも、アメリカが見習うべき模範ケースとして韓国のドライブスルー選別診療所を紹介している。

トランプ政権は、韓国政府にドライブスルー診療所の運営ノウハウの提供を要請し、アメリカ全域にドライブスルー選別診療所を作った。ドイツ、イタリア、イギリス、オーストラリアなどでも韓国式ドライブスルー選別診療所を運営した。韓国式が世界に広まったわけだ。

ドライブスルーの元祖であるコーヒーやファストフード業界は、新型コロナウイルスによって全体の売上は落ちたものの、ドライブスルー対応店舗の売上だけは急上昇した。アメリカではスターバックスが全店舗を臨時休業し、ドライブスルー対応店舗だけで営業をした。韓国ではドライブスルーの刺身店まで登場した。地方の刺身店で車に乗ったまま注文する人たちにテイクアウトの刺身を提供したのだ。

大邱の炭火豚カルビ店でもドライブスルー方式を利用し、マスクをつけた店員が包装した食べ物を車の窓から渡した。非接触・非対面をかなえる上で効果的なドライブスルーは、アンコンタクト社会で一層活性化する。

2020年3月、マレーシアで行われた新型コロナウイルス対応のドライブスルー結婚式が現地の『ニュー・ストレーツ・タイムズ』で紹介され、その後、海外トピックとして全世界に報じられた。椅子に座った新郎新婦の前を招待客が車に乗って通り過ぎ、ご祝儀を渡して挨拶する。

この時、新郎新婦は料理の入った包みを車に入れる。握手や抱擁など一切の身体接触はない。ドライブスルーの結婚式は従来の結婚式より費用も抑えられる。ドライブスルー結婚式の元祖はアメリカのラスベガスだ。ラスベガス・ストリップにある「リトルホワイトウェディングチャペル」(A Little White Wedding Chapel) は、2005年からドライブスルー結婚式のサービスを始めて有名になった。

ラスベガスでは年間10万組が結婚式を挙げるのだが、人口60万人余りの都市でこれだけ多くの結婚式が行われるのは、破格の安さと速さのためである。24時間営業のウェディング専用チャペルも多く、婚姻の届け出も身分証と手数料さえ用意すれば年中無休で朝から夜12時まで可能だ。結婚式に対する既成概念はすでに壊れている。結婚をますます忌避する社会では、式をドライブスルーにしようがオンラインにしようがそれほど驚くことではない。

蔚山(ウルサン)の刺身店で車に乗ったまま刺身を購入する様子

日本では2017年12月にドライブスルー葬儀場まで作られた。「レクスト・アイ」という冠婚葬祭業者が長野県上田市に作ったものだ。車に乗ったまま受付に行き、窓を下ろしてタブレットPCの芳名録に記入をした後、電熱式の焼香(電気装置なので本物の火はつけない)をする。そして最後に、受付後方の窓越しに葬儀場内を見ながら弔意を表する。弔問客の車が受付に到着すると、葬儀場内にランプで合図が送られるので、喪主はモニター画面で弔問客を見ることができる。「これのどこが葬儀なんだ?」と思われるかもしれないが、一般の葬儀場には行き難い高齢者や障がい者でも行きやすく、服装を整える必要もなく、便利で早く弔問できるというメリットもある。

ここまでして行くことに何の意味があるのかとも思うが、韓国人も純粋な心からの哀悼のためというよりも、顔を見せることを目的として葬儀場へ出向くことが多いのではないだろうか。葬儀文化そのものとして、家族や近しい親戚、知人といった心から哀悼してくれる人だけではなく、最大限多くの人の弔問を望むのは、韓国、日本、中国いずれの国でも同じだ。そう考えてみれば、日本のドライブスルー葬儀場もそれほどおかしなものではない。

延世大学セブランス病院の葬儀場〔訳者注:韓国では病院内に葬儀場がある〕によると、故人が80代以上の殯所《もがりじょ》〔訳者注:棺を安置するところ〕の割合は、2008年の30・6%から2017年に47%になった。ほぼ半数が80代以上の葬儀なので、もちろん喪主や弔問客の年齢も高い。ドライブスルー葬儀場は合理的な代案になり得る。葬儀文化が大きく変わる可能性が高まった。これ以上過去の方式に固執することもできないが、だからといってなくすこともできない。変化を受け入れてでも葬儀そのものは残すはずだ。

顧客と向き合うな

全ての人はスマートフォンを持ち、モバイルショッピングは急速に成長している。一方で、韓国内ではデパートや大手スーパーが不振に見舞われ、海外でも有名デパートや大手流通企業の破産が日常的に起きている。世界の流通業界における怪物であるオンラインショッピングの強者アマゾンは、オフライン流通業界をバタバタとなぎ倒している。しかし、だからといってオフライン流通が消えたわけではない。

アメリカでも小売販売全体に占めるオンラインショッピングの割合が伝統的なオフラインショッピングを初めて上回るのは、最近に過ぎない。それも非常にわずかな差だった。オフラインでの流通はいまだにシェアが大きい。

韓国におけるオンラインショッピングの割合は30％くらいだ。オンラインショッピングの取引額は2019年に過去最高の130兆ウォン（11兆7000億円）を達成したが、それでもまだ30％に過ぎない。依然としてオフラインは重要な基盤だ。21世紀を迎え、デジタル経済が未来のチャンスとして浮上し急成長を遂げたにもかかわらず、私たちは相変わらずオフラインで物を買い、集って暮らしている。オフライン空間、すなわち人と直接対面する文化は、便利なオンライン文化の攻勢を前にしても堅固だったということだ。

技術的進化や便利さ、産業の潮流の転換だけでは、オンラインをこれまで以上に拡大させるのに時間がかかっただろう。私たちには新型コロナウイルスをきっかけとして不安による新たなアンコンタクトの欲求が芽生えた。これはオンラインショッピングにとって間違いなくチャンスである。もちろん、他人のピンチが自分たちのチャンスになるという引け目から、業界としても新型コロナウイルスがもたらした好景気をうかつに喜べない。しかし、これは一時的な変化ではない。流通におけるオンラインへの転換は勢いを増し、流通業界は再編され、オフラインであれオンラインであれ、全てにおいてアンコンタクトが重視されていくだろう。

2015年、100億ウォンに過ぎなかった深夜配送市場の草創期を牽引したのは「マーケットカーリー」だった。2016年、340億ウォン規模に成長した市場にはクーパンの「ロケットフレッシュ」が参入し、その後、大手流通業者が続々と参入してきた。2017年には1900億ウォン、2018年には4000億ウォン規模にまで拡大し、2019年には1兆ウォン市場になっている。ついにはデパート、テレビショッピングまでもが乗り込んできた。

そうして何もせずとも過熱するはずだった2020年の市場において、新型コロナウイルスが起爆剤になった。新型コロナウイルスがトリガーにならずとも急成長を続けていた市場が、いまや規模を計れないほど爆発的な成長を見せている。

深夜配送の最大のメリットは、買い物に行く手間を省いた「便利さ」ではなく、人と接触する必要がないという「非対面」である。朝起きたら玄関の前に置いてある品物を回収するだけ

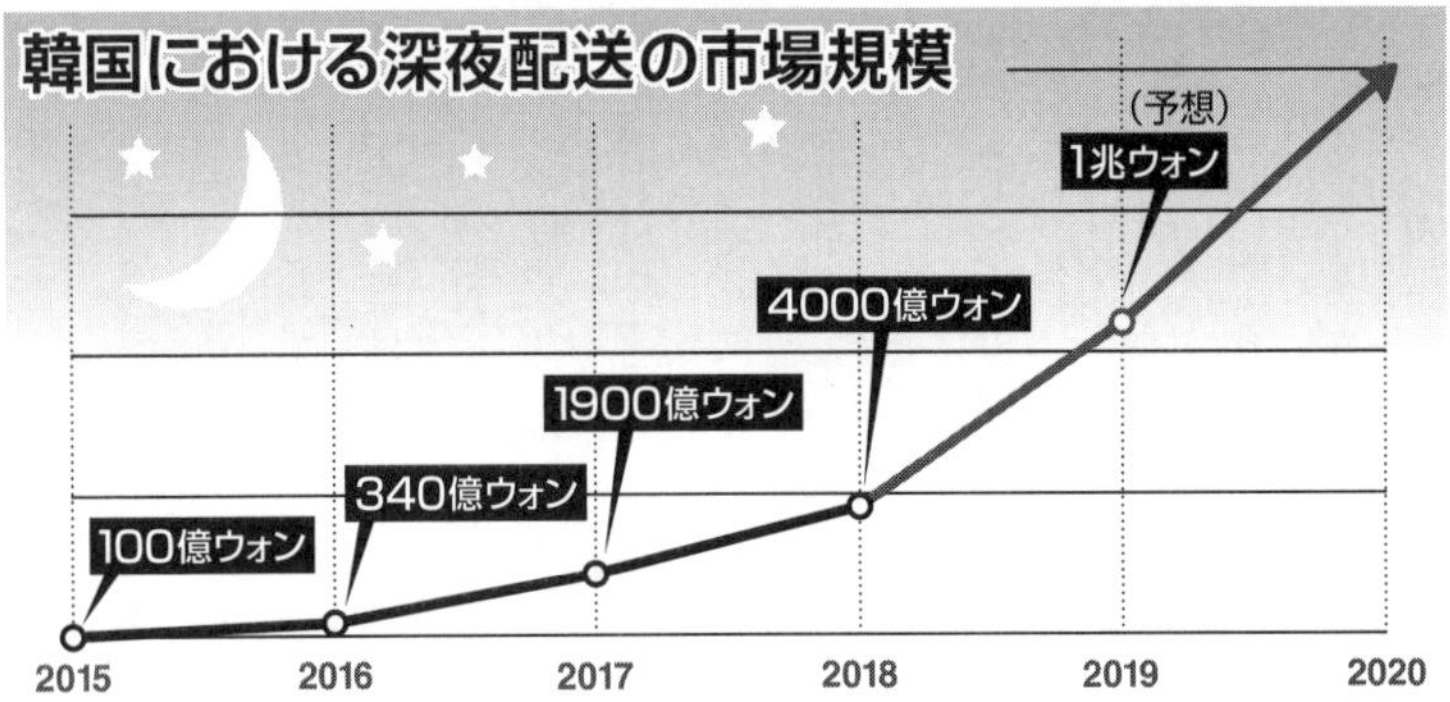

出典：業界推算

でよいのだ。深夜配送市場の成長は、大手スーパー市場の萎縮へとつながる。増え続けていた大手スーパーの店舗数は減少に転じ、今では閉店するところも出てきている。その変化の始点は深夜配送市場の成長と不思議と一致するのだ。

大手スーパー（イーマート、ホームプラス、ロッテショッピング）の営業利益率は、韓国信用評価資料によると、2012年4・8％、2013年4・1％、2014年3・2％、2015年2・2％、2016年1・2％、2018年0・8％、2019年0・9％だった。徐々に下落していた大手スーパーの営業利益率が2020年、新型コロナウイルスによってマイナスに転じるのはもはや既定事実だ。業界の代表格であるイーマートに至っては、2019年の営業利益が前年比マイナス67・4％だった。オフラインを基盤とした流通業者の営業利益率はいずれも下落傾向にある。

ロッテショッピングも2019年の営業利益は前年比マイナス28・3％で、現代百貨店もマイナス18・1％だ。ロッテショッピングは2020年2月13日、2020年の運営戦略として不採算店舗200店以上の整理を発表した。全体の30％を超えるオフライン店舗が閉店するということだ。そして流通業者からサービス会社に生まれ変わるという方針を発表した。ロッテがもつ膨大な顧客データを資産として最大限に活用することを意味している。

この時点ではまだ、韓国社会において新型コロナウイルスのダメージはそこまで深刻ではなかった。2月中旬、感染者がまだ30人に満たなかった時点のことである。企業も当初は2月末から3月初め頃になれば事態が収束すると期待していた。そのため、深刻化するコロナ禍で消費と景気が低迷している現状では、ロッテの運営戦略にも修正が必要になるだろう。方針の変更ではなく、スピードの短縮である。

非対面市場を急成長させた新型コロナウイルスに積極的に対応したイーマートがチャンスをつかんだ一方で、ロッテは相対的にチャンスを逃している。ロッテマートはオン・オフラインを統合したデジタルフルフィルメントストア〔訳者注：ロッテマートが始めた、注文から1時間以内に配送をするサービス〕のオープンと特急配送サービスの開始を、予定していた2020年3月から4月末に延期した。ロッテマートとイーマートの対応の差はわずか数カ月だ。しかしその数カ月の差は、こうした危機的状況下において致命的である。

イーマートが行っている、SSGドットコムやイーマートモールなどのオンラインモールで注文した商品を自社の配送員が直接配送する「SSG配送」サービスの稼働率は、コロナ禍で

99・8%まで上昇した。配送件数が処理能力のほぼ100%に達しているということだ。これは売上の増加につながる。

SSGドットコムの2月19~23日までの売上は前週比で45%、前月比では47・1%増加した。特に2月18日~3月18日の売上は前年同期比で51%も増加している。普段は80%台の配送稼働率も、2020年2月は全国平均で99・8%まで上昇した。新型コロナウイルスに見事に対応している。

2019年末、イーマートはオンライン専用の物流センター「ネオ003」(NE.O 003)をオープンし、処理件数を従来の2倍に増やしていた。新型コロナウイルス以前からすでに配送・物流の強化をしていたわけだ。そして新型コロナウイルスの発生後は即座に配送処理件数の20%増を発表し、人員も短期増員し、深夜配送の処理件数も50%増やした。

韓国では玄関前配送も定着

「SSG配送」では、配送方法のオプションとして「消費者への直接手渡し」「玄関前配送」「警備室預かり」などが選べるのだが、コロナ問題が発生してからは直接手渡しを選択できないようにしている。これによりアンコンタクト消費の経験値が増えるわけだ。特に食料品をはじめとする生活必需品は配送サービスが主流となり、中でもアンコンタクトが中心になるはずだ。

スーパーに行って買い物をしていた中高年も、配送アプリを利用し始めた。便利さを経験してしまった消費者を過去の方式に引き戻すのは難しい。コロナ禍で配送サービス強化の必要性を実感した企業は多い。２０１９年9月に初めて配送サービスを開始したベーカリーブランド「トゥレジュール」の２０２０年2月の配送サービスの売上は、当初の10倍以上に増加した。こうした結果を受けて、企業は販売方式の変更を余儀なくされている。

出前アプリ「配達の民族」も、新型コロナウイルスで売上を伸ばしている。注文件数だけでなく、加入店数も増えた。来店客が減少したため、出前で売上を挽回しようとする飲食店が増えたのだ。配達の民族だけでなく、全ての配送アプリ業者が注文と売上を増やしている。これは新型コロナウイルスによる一時的な現象ではなく、すでに数年前から始まっていた傾向だ。配達の民族の取引額（配達の民族を利用した飲食店の売上総額）は、２０１５年の1兆２０００億ウォンから２０１６年には1兆９０００億ウォン、２０１７年3兆ウォン、２０１８年5兆２０００億ウォン、２０１９年8兆ウォンと、4年間で6・7倍に増えた。

統計庁が発表した「２０１９年の年間オンラインショッピング動向」によると、２０１９年のオンラインショッピングの飲食サービス、つまり出前アプリの取引額は9兆７３６５億ウォンで前年より84・6％増えている。2020年1月も前年同月比69・5％増えた。新型コロナウイルスがなくても急成長を遂げていた市場は、新型コロナウイルス問題によって一段と大きく成長した。

特に新型コロナウイルス拡散以後、「配達の民族」と同業の「ヨギヨ」は、非対面で食べ物を受け取れる安心・安全配送オプションを選択できるようにした。配送員がドアの前に食べ物を置き、電話で到着を知らせる方式だ。代引決済も減らすため、先払いの非対面決済キャンペーンも行った。非対面の出前は海外では一般的に行われているが、韓国では情緒的な面から直接手渡しを好んできた。しかし、新型コロナウイルスをきっかけに、非対面の出前は定着するかもしれない。

声なき注文

2014年5月、スターバックス・コリアは「サイレンオーダー」（Siren order, 訳者注：日本では「モバイルオーダー＆ペイ」と呼称することも）サービスを開始した。スターバックスアプリを使って店舗から半径2㎞以内で注文・決済をすればリアルタイムで商品の準備状況を知らせてくれるので、それを確認して店舗に行きコーヒーを受け取ればよい。

注文するために並ぶ必要もなく、店員に口頭で注文しなくても事前に注文ができるので、入店したらすぐにコーヒーを飲むことができる。カフェでの非対面注文の始まりだった。

その後、スマートフォンアプリで注文するスマートオーダーは韓国のコーヒーフランチャイズ業界にも広がり、スターバックスは韓国で始めたサイレンオーダーシステムをアメリカや中国、日本をはじめとした世界各国に拡大させている。スターバックス・コリアによると、2020年1~2月のサイレンオーダー注文件数は800万件で、前年同期比25%増加している。2月時点ではスターバックス全注文件数の22%がサイレンオーダーで行われた。非対面注文は増加傾向にある。

コロナの影響が大きく現れる前から見られた傾向ではあるが、コロナ禍においてはさらにサイレンオーダーが増えるだろう。声を出さずにコーヒーを注文して飲める環境が広がってきている。

居酒屋での酒の注文においてもスマートオーダーが可能だ。2020年3月、科学技術情報通信部のICT新技術・サービス（規制のサンドボックス）審議委員会は、酒類のオンライン注文・決済サービスを積極行政免責制度〔訳者注：結果的に損失があったとしても、公益性などが認められれば公務員の責任を問わない制度〕の対象にすることを決定した。既存の酒税法では、酒は対面販売のみが認められており、通信販売は禁止されていた。しかし、規制も時代や技術環境の変化に合わせる必要があるとして、規制のサンドボックスによりこの部分を変更したのだ。

これにともない酒もスマートオーダーが可能になった。オンラインショッピングモールでの販売だけでなく、店舗における酒の注文方式にも変化が生まれた。スマートオーダーで酒を売れば、居酒屋は顧客情報や注文決済データを活用し、データ基盤による店舗運営ができる。

スターバックスでもサイレンオーダーで得られた顧客データの分析結果を新製品の開発や新店舗オープンの際に活用している。スターバックスは2017年からデジタルフライホイール(Digital Flywheel)プログラムを運営し、顧客の注文記録に基づいて好みの新製品を提案している。製品開発にもデータ技術を活用する。確保した顧客のビッグデータに、人工知能（AI）が人口や所得水準、交通、市場環境などのデータを結びつけて、新店舗候補地を探すこともある。昔なら市場調査のためにわざわざ足をのばし、人通りをチェックするために候補地の近くで通り過ぎる人の数を数えていたはずだ。

核となるのは非対面注文そのものではない。非対面とは、人がいなくなった隙間にアプリケーションとデータが入ることを意味する。これはビッグデータと人工知能をマーケティングに積極活用しなければ競争力を維持できない時代において重要な資源になる。私たちがあえて言葉にしなくても、彼らは非対面環境で積んだデータを使い心を読み取るのだ。オンラインショッピング業界や出前アプリ業界も同様である。

非対面は、接触に対する不安を解消するだけでもなければ、時間節約という便利さを与えるだけでもない。流通・サービス業界から見れば、売上拡大のためにも必ず進むべき道なのだ。

慣習ではなく新たな変化がもたらす利便性に真っ先に反応するという「アーリーアダプター」は、アンコンタクト消費についても積極的に受け入れている。アンコンタクト消費の拡散背景に技術的な進化があるからだ。新韓カードビッグデータ研究所がアーリーアダプターのオン・オフライン決済方式を分析した結果によると、アーリーアダプターの顧客がカフェでモバイルアプリのスマートオーダーを利用する割合は33％だった。これは一般顧客17％の2倍にあたる。

タクシーの利用でも、アーリーアダプターがタクシーアプリで決済した割合は50％だった。つまり直接カードや現金を出して決済する割合が50％ということである。一方で、一般客のタクシーアプリ利用率は35％、直接決済率は65％だ。タクシーを呼ぶにあたってアプリを使う割合が高ければ、アプリ決済の割合も高くなる。タクシーを拾う方法やタクシー代を支払う方法においても、アーリーアダプターは相対的に非対面に近い。手を挙げて捕まえる必要もなく、目的地を言葉で伝える必要もなく、到着後の会計で財布を取り出し、カードや現金のやり取りをする必要もない。

新韓カードビッグデータ研究所がアーリーアダプターを抽出するのに使った基準は、２０１９年に発売されたスマートウォッチの事前予約購入記録である。ＩＴ機器を事前予約して購入する人をアーリーアダプターとして分析したわけだ。アーリーアダプターは新しいサービス、新しい変化を前向きに受け入れる消費者と見ることができる。

韓国のスターバックスの店舗数は2019年現在1300店余りで、このうち840店（64%）がキャッシュレス店舗だ。クレジットカードやデビットカード、モバイル決済やスターバックスアプリによる決済など、現金ではない決済が大半を占める。キャッシュレス店舗での現金決済比率は2019年末現在0・5%だ。この程度であれば、キャッシュレス店舗とは知らずに来た、現金しか手持ちがない人の割合といえる。韓国のスターバックス全店舗における現金決済比率も2010年は30%だったが、2017年には7%まで減少した。スターバックス利用客のうち、いわゆる常連客はスターバックスアプリで決済をしている。

市場調査会社「eMarketer」によると、2019年10月現在アメリカの近接型モバイル決済利用者（proximity mobile payment users）の47・3%にあたる3030万人がアップルペイ（Apple Pay）利用者で、39・4%にあたる2520万人がスターバックスアプリの利用者だった。2018年まではスターバックスアプリがシェア1位を維持していた。もちろんシェア2位とはいっても全体の40%近いシェアを誇っている。

グーグルペイの利用者が1210万人、サムスンペイの利用者が1080万人であることを思えば、スターバックスがモバイル決済市場においてどれほど大きな存在なのかが分かる。他のモバイル決済とは違い、スターバックスアプリには預金も必要だ。米国の調査会社S&P Global Market Intelligenceによると、2016年第1四半期時点で米スターバックスのアプリとプリペイドカードにチャージされた金額は12億ドル（約1280億円）にも上る。

スターバックス・アメリカの事業報告書によれば、チャージされたまま使われていない現金が、2019年9月現在で12億6900万ドルあるという。アメリカには世界の店舗の約60%があるので、世界的に見れば20億ドルほど預金が確保されていると推測できる。「スターバックス通帳預金」とも言えるこの預金には、利子もつかず、60%を使わなければ残りの40%を引き出すこともできない〔訳者注：各国によってシステムに差異あり〕。スターバックスに絶対的に有利なシステムになっている。世界70カ国に進出しているスターバックスはグローバル金融会社になってもおかしくないのだ。さらにスターバックスは、世界中の店舗で両替なしに自国で使っていたスターバックスアプリの預金を使うことができるよう、「Bakkt」という仮想通貨取引所にパートナーとして参加した。

2018年10月にはアルゼンチンの銀行「Banco Galicia」と提携し、オフライン銀行支店もオープンしている。スターバックスは金融業に進出することも可能であり、スターバックスアプリの利用者を活用して、多方面へのビジネス拡張も可能というシナリオである。

アマゾンは2016年12月、シアトルにあるアマゾン本社に「Amazon Go」というアマゾンの社員だけが利用できる店をオープンした。レジに並ぶ必要も、直接会計をする必要もない無人店舗のテスト運用である。顧客が店舗の入り口で自分のスマートフォンのアプリをスキャンし入店すると、持ち出した商品をセンサーが自動で認識し、アプリ上で決済してくれる。アマゾンが「Just Walk Out」と呼ぶこの技術は、アンコンタクトの消費方式だ。決済のために現金やカードを取り出す必要もないということは、アマゾンアプリで決済することを意味する。ここでも、どんな品物を購買したかというデータから顧客の分析ができるのだ。2018年1月から正規のAmazon Go店舗が作られ始め、現在シアトル、ニューヨーク、サンフランシスコ、シカゴなど26店舗が運営されている。

無人店舗では、空間の広さと扱う品数が重要な変数になる。そのためAmazon Goは正規店舗においてカメラ技術とアルゴリズム技術を発展させてきた。一種のフィールドテスト過程である。無人店舗は単なるアイデアとは異なり、実際の運用では様々な問題が発生するため、つぶさに対処するためには現場での実質的なテストが欠かせない。こうした過程を経て、2020年2月には1号店と比べると約6倍大きい「Amazon Go Grocery」がシアトルにオープンした。Amazon Goの26番目の店舗で、野菜や肉類、海産物、ベーカリー、乳製品、軽食、酒類など5000種余りの食料品が販売されている。これを手始めに、Amazon Goはグロサリーストア（食料雑貨店）を増やしていく予定だ。コンビニ規模に続き、スーパー規模まで問題なく運営できれば、より大きな店舗も可能になる。いつか、アメリカ全域のスーパーを変える日もやってくるだろう。

アマゾンの本当の目的は自社でスーパーを運営することではないかもしれない。アマゾンは無人店舗で自動決済する技術を「Just Walk Out Technology by Amazon」と名づけて外部にも販売している。この技術をウォルマートのような流通業界の大型ターゲットをはじめ、小売決済が行われる様々な領域に売り込もうとしているのだ。CNBCは2019年9月、アマゾンがAmazon Go決済システムを空港内でサンドイッチや飲食物を販売する「CIBOエクスプレス」の運営会社であるアメリカのOTGと、映画館チェーンをもつイギリスのシネワールド・グループに提案したと報じた。CNBCは併せて、アマゾンが決済システムの提供に際して、商品の販売額から一定比率の手数料を取る方式をはじめ、初期構築費用と月単位の料金を徴収する方式などを検討中だと伝えた。

ロイター通信は2020年3月9日、アマゾンはすでに複数の企業と無人決済のキャッシャーレス技術の販売契約を結んだと伝えている。『ウォール・ストリート・ジャーナル』は2020年3月16日、アマゾンがキャッシャーレスストアソリューション拡大の一環として、オープンソースとしての関連ソフトウェアの提供を推進していると報じた。

こうした状況を踏まえれば、アマゾンが流通市場で無人店舗分野の主導権を握ろうとしているのは明らかだ。流通の未来がアンコンタクトに向かっているからである。そしてアマゾンのソリューションは、クラウドサービスであるアマゾンウェブサービス（AWS）に戻る。Just Walk Out技術の拡散によって、流通業界における支配力とクラウドサービスにおける支配力を同時に高めることができるわけだ。アマゾンの戦略成功の可否については断言できないが、流通の方向が変わるということだけは確かである。

拡張現実でショッピング

グッチの靴を買わなくても、その靴を履いた写真をインスタグラムに載せることはできる。店舗に行って靴を履いた姿を自撮りするのではない。

２０１９年7月、グッチのｉＯＳアプリが拡張現実（AR, Augmented Reality）技術を利用したシューズフィッティングサービスを開始した。グッチアプリで靴を選び、スマートフォンのカメラを自分の足にかざせば、靴を履いている姿が画面に現れるのだ。実際に靴を履いているようなリアリティのある映像である。その様子は写真に収めることができ、ソーシャルメディアに掲載することで似合うかどうか友人の意見を聞くこともできる。

靴を買ったわけでも、本当に履いたわけでもないが、写真の中の自分はすでにその靴を購入しているように見える。直接履かなくても自分の足に合うか、自分の持っている服に合うかなどを、ＡＲ技術を用いてより正確に事前に確認できるのだ。その靴にどんなパンツやスカートが合うのか、自宅のクローゼットの前で確認もできる。

こうしてサイズやスタイルを合わせれば、モバイルで購入した商品であっても、写真だけを見て買ったときとは異なり、満足度が高まるため返品が減る。これにより返品処理コストだけでなく、商品の購入者が抱く不満自体も減らすことができるため、ブランドへの好感度が一層高まり、商品の購買促進にもつながる可能性がある。

グッチが作ったＡＲ試着サービス「トライオン」（Try-on）機能は、ＡＲ技術を応用するベンチャー企業ワナビー（Wannaby）が開発したものだ。ワナビーは他にも、人工知能と拡張現実を活用した技術により、バーチャルでアディダスやナイキといった有名ブランドのスニーカーを履くことができる「Wanna Kicks」というアプリも発表している。今後、靴のショッピングサービスにおいてＡＲ試着サービスはさらに広まるだろう。これは靴の他、服、化粧品、家具などをモバイルで購入する際にも活用できる。

これまでオフラインショッピングが、オンライン・モバイルショッピングに比べて唯一優位だった点が、実際に試用して商品を体験することであり、それによって購入時の判断精度を高められるという点だった。ＡＲ技術の活用が、オンライン・モバイルショッピングが常に抱えていた購入後の不満や返品という大きな悩みを解消するのである。

また拡張現実を利用すると、写真だけで見ていた製品を実際に着用した気分になれることから衝動買いをしやすくなるという。流通業界やファッション業界では、オフラインとオンラインの長所を併せもつＡＲ技術を積極的に活用している。アメリカの消費者調査機関「インタラクションズ・コンシューマー・エクスペリエンス・マーケティング」が２０１７年にアメリカの消費者１０６２人を対象に行った調査によれば、ＡＲ技術で商品を体験した人の72％が計画になかった衝動買いをしたそうだ。

中国のアリババ、百度、テンセントはいずれもVR、ARコマース市場に莫大な投資をしている。VRヘッドセットを着用して買い物をするアリババの「バイプラス」（Buy+）では、家にいながら、まるでデパートの売り場にいるような感覚を得られる。品物を選んで家の中に配置することもできる。アリババはARショッピングサービスに続き、ARを利用したカーナビサービスも開発中だ。

イケアは購入予定の家具が自宅に合うかどうかを確認できるAR技術基盤アプリサービスを2017年から提供している。アメリカの塗料メーカー「シャーウィン・ウィリアムズ」は、選んだ色が自宅の外壁に合うかどうかをAR技術で事前に確認できるモバイルアプリを開発した。

ロッテホームショッピングは2018年8月、モバイルアプリで購入した商品を自宅に配置し合うかどうかを確認できるARビューサービスを導入し、9月からは実際に店内にいるように感じられる「VRストリート」サービスを開始した。ロッテホームショッピングは、ARビューサービス導入後、返品や購入後の不満が減少したと発表している。新世界はデパートやイーマート、複合ショッピングモールなど、様々な店舗をデジタルプラットフォームで具現化し、バーチャルリアリティを使って買い物ができるようにした。オフライン店舗においても拡張現実を利用し、消費者がより簡単に、かつ詳しく商品情報を得られるようにしている。

消費財や流通業界では国内外を問わず、積極的にARやVRを使った買い物経験を消費者に

手の平の上で、買い物はすべて完結

積ませようとしている。オンラインとオフラインの結合により、拡張現実、複合現実（MR, Mixed or Merged Reality）、共存現実（CR, Coexistent Reality）といった技術の活用度はさらに高まるはずだ。

私たちは自分が買い物をした場所が、仮想空間なのか、現実空間なのか、実際に試着したのかを区別できないほど本物そっくりの偽物が作った現実の中で買い物をする。ミレニアル世代だけでなく中高年世代もアンコンタクトと拡張現実による消費に慣れつつある。Z世代ではなおさらだ。

ボルボ・カーズは業界で初めて、フィンランドのARヘッドセットメーカーVarjo《ヴァリヨ》と共同で開発した複合現実（MR）技術を自動車開発に取り入れた。「Varjo XR-1」ヘッドセットは、高画質カメラによって高解像度の写真のようにリアルな複合現実を具現化し、まるで実際の車を運転しているかのような感覚を与える。

複合現実とは、仮想現実（VR, Virtual Reality）と拡張現実（AR）を融合して使用感をもたせる技術だ。これを使えば、例えばデザイナーやエンジニアは、シミュレーション環境で現在開発中の未完成モデルを実走行するように経験し、評価することができる。偽物を使って、本物を作る上でより良い解決策を模索することができ、開発日程も大幅に短縮できるのだ。試作品会議の際にAR技術を使って時間とコストを削減することが多い自動車メーカーの中でも、ボルボはとりわけ進化しているといえる。

エレベーター専門メーカーのティッセンクルップ・エレベーターは、エレベーターを修理する際、着用した「ホロレンズ」の片側に修理マニュアルや事故前のデータを表示し、本社エンジニアともリアルタイムで接続して、議論しながら作業ができるシステムを導入した。エレベーターごとに異なるため修理時の確認が必須となるマニュアルは、タブレットではなくホロレンズで見ると、修理時間を大幅に削減できるという。

グーグルが開発を一時中断していた、AR技術を活用したスマートグラス「グーグルグラス」は、試行錯誤の末に開発が再開されており、マイクロソフトもMRデバイス「ホロレンズ」を開発している。「ホロレンズ2」にはパソコンが搭載されているため別途のCPU接続が不要で、動きによって音もセンサーと連動するため、空間認知度や没入感が高まる。566グラムあるため長時間使用するには重く、価格も約40万円と高額ではあるが、作業員の業務用ARグラスの場合もPCが内蔵されているおかげで独立的な作業が可能になった。

自動車修理マニュアルを拡張現実にする取り組みも国内外で広く行われている。実現すれば、車種やメーカーに関係なく、あらゆる自動車をよりスムーズに修理できるようになる。また、建設現場の施設管理やメンテナンス管理の分野では、拡張現実を使って建物を見ながら扁平度《へんぺいど》や距離、角度、面積などを確認できる技術も開発されている。建設現場だけでなく産業の現場でも幅広く活用されるのが複合現実や拡張現実の技術だ。

最も大衆化され、一般化したものは仮想現実だ。これは偽物だけで構成された空間である。次が本物の空間と偽物の空間を結合して本物の空間を拡張させる拡張現実で、その次が仮想現実と拡張現実を融合した複合現実だ。さらに先にあるのは、複合現実がネットワークと結合し、離れたところにいる異なるユーザー同士がともに臨場感をもって共同協業をする共存現実である。共存現実が完全に実現すれば、私たちは仮想と現実の境界が消えた拡張空間の中で時空間を超え、世界中の人々と仕事をし、付き合い、様々な活動ができるようになる。

一人で見れば夢だが、みんなが見れば現実になる。仮想現実から拡張現実、複合現実へと進化したのなら、次に来るのは共存現実だ。現実と仮想が結合した空間で多くの人と交流し、共同で作業をし、集う。自分だけが偽物を本物だと思っているのではなく、多くの人が視覚や聴覚、触覚、嗅覚に至るまでを、偽物と本物が結合した空間の中で共に感じる。

ここまで来れば、どこまでが本物で何が偽物かなど重要ではない。共に感じる全てのことをそのまま受け入れればよい。それ自体で全てが事実上の「本物」になるのだ。本物か偽物かということに意味がなくなるのだから、もはや対面か非対面かも重要でなくなる。全ての技術はアンコンタクトに向かうといっても過言ではない。私たちは時空間の制約を超え、より円滑で効率的なコンタクトのために、技術的に実現したアンコンタクトを受け入れようとしているのだ。

中国のQRコードと顔認識技術

中国はコロナ禍で面白いものを見せてくれた。病気の震源地であり世界に病気を拡散させた中国の感染者数は1月に急増し、2月中旬に最高値を記録している。しかしその後、新規感染者数は減少を続け、3月には安定を取り戻し、一日数十人程度に落ち着いた。

一方、ヨーロッパではイタリアを筆頭に3月から感染者が急増しており、そのうちイタリア、スペイン、ドイツ、フランス、イギリスなどでは一日の感染者数が数千人に上った。アメリカに至っては一日の新規感染者数が1万人を上回る水準となり、中国よりもはるかに多い感染者を出した。死者数ではイタリア、スペインなどが中国を上回り始めた。これは全て3月中のわずか1週間で起きた出来事だ。ヨーロッパとアメリカでは特に拡散スピードが速かった。はなから伝染病のコントロールを放棄し、重症患者への対応に重点を置いた国もあった。

人口14億5000万人の中国はどうやってコントロールをしたのだろうか。ヨーロッパ全体の人口が7億4000万人で、このうち欧州連合27カ国の人口は4億5000万人である。アメリカの人口は3億2700万人だ。アメリカの4倍以上、ヨーロッパ全体の2倍、欧州連合の約3倍の人口なのが中国だ。地域社会内での感染という面では、間違いなく人口の多い国が不利になるものなのに、中国が短期間で伝染病を制御できた原動力とは何だろう？　もちろん、共産党独裁国家であるために強力な統制が可能だったという点も一つの理由だろうが、それ以上に注目すべきはQRコードと顔認証技術である。中国では3月に入ると中断していた公共交通サービスを再開する地域や始業する学校も増え、工場も正常化した。新型コロナウイルス禍が完全に収束したわけではないが、モニタリングしながら十分に制御可能になったと考えたのだ。

中国の遼寧省瀋陽《しんよう》市（人口830万人の産業都市）では、コロナ対策として2月から公共交通実名制を施行した。バス、タクシー、地下鉄、観光用車両などの公共交通機関を利用する際、スマートフォンのQRコードをスキャンしなければ乗車できないようにしたのだ。QRコードスキャンを行うと、乗客の名前と連絡先を含む情報が収集され、行動履歴も把握できるので、感染が疑われる患者の移動経路と現況分析の精度が高まる。アプリでQRコードを取得するには、居住地と現在の健康状態、最近訪問した場所、感染者との接触の有無などを入力しなければならないという。もし虚偽申告が明らかになれば、1年間ブラックリストに載るそうだ。QRコードスキャンをしないと乗車拒否されることもある。

中国は公共交通機関だけでなく自動車も制御した。広東省深圳《しんせん》市（人口1250万人の経済特区であり、IT産業・製造業の集積地）では、ドローンにQRコードが刻まれたプラカードをぶら下げて、道路の料金所上空に飛ばした。ドライバーが車中から自分のスマートフォンでQRコードをスキャンすると、個人情報が入力されたQRコードにより搭乗者と車両の移動経路が把握できるようになる。これによって通行規制も行った。アリペイ（Alipay）は使用者の健康状態によってQRコードを色分けした。緑なら利用制約のない状態なので公共施設や主要検問所を通ることができるが、黄色の場合は7日間の自宅隔離、赤なら2週間の隔離状態となる。QRコードの色によって移動や出入りの制限が生じるのだ。

中国では在来市場でもQRコードを使用しているため、緑のコードでなければ在来市場への出入りを拒むことができる。個々人の自発的判断と良心に任せるのではなく、QRコードによって、どのような健康状態の誰がどこへ行き、どこで制限を受けたのかも全て分かるため、自宅隔離対象者がこっそり歩き回るということができないのだ。他国では自宅隔離対象者や有症患者が出歩いて感染者を増加させた事例も多いが、中国ではQRコードによってこれを統制できたわけだ。

悪だからではなく、不安だから統制するのだ。中国交通部は瀋陽市の方式を採択し、3月から中国全土でQRコードのスキャンを義務化した。技術による伝染病の統制方法を示す事例である。中国政府は、個人情報は暗号化された状態で専用サーバに保管されるため情報流出はないと発表しているが、そうは言っても、こうした統制方式は中国以外の国では試行さえ難しい。

中国は顔認証技術も活用した。中国政府は新型コロナウイルスの拡散初期にあたる1月末からマスク着用の義務化と外出自粛の指針を示し、顔認証ドローンを飛ばしてマスクをしていない人々に警告を行った。

四川省成都《せいと》市（人口1630万人の代表的な商業都市）では、一部の警察に「スマートヘルメットN901」まで支給されている。このヘルメットは5メートル以内にいる人の体温をリアルタイムで自動的に感知し、37・3度以上の高熱を検知すると警告音を鳴らす。さらには、顔認証機能によってスマートヘルメットの画面に映っている人の名前と個人情報まで表示するのだ。街中で高熱のある人を探し出し、それが誰なのかもすぐに確認できるので、逃げることもできない。

中国の代表的な顔認証技術メーカー「センスタイム」は、マスクをつけた人の身元を99％の精度で認識する技術を披露した。中国は世界中で最も顔認証技術が進んでいる国である。2018年11月にアメリカ国立標準技術研究所（NIST）が主催した顔認証技術の精度テスト(FRVT, Face Recognition Vendor Test）では、1～5位までを中国メーカーのアルゴリズムが独占した。

２０１８年４月には、６万人が集まったコンサート会場にいた指名手配者を顔認証技術で検挙している。入場の際に必ず通るコンサート会場入り口に設置されたカメラの画像だけですぐに身元が判明したため、直ちに公安が出動して検挙したのだ。

警察や税関、港湾といった公共の安全を司る機関で最初に導入された中国の顔認証技術は、一部の学校で出席確認や授業への集中具合、居眠りや余計なことをしていないかといった確認にまで使われたことがある。確かに効用の多い技術ではあるが、悪用されれば間違いなく危険な技術だ。

中国の顔認識技術専門企業メグビーの技術実演シーン

ジョージ・オーウェルの『１９８４年』に出てくるビッグ・ブラザーに最も近いのが今の中国だ。確かに新型コロナウイルス対応において、中国が使ったＱＲコードや顔認識技術は効果的だったかもしれないが、そこには間違いなくプライバシーや人権、個人情報流出の危険性が存在する。またコロナ対応の効果を掲げて今後そうしたシステムが拡大されることへの懸念もある。まさに諸刃の剣だ。

非対面のアンコンタクト社会は、むしろ徹底した監視と統制を可能にするだろう。人が人を統制する時代は終わった。人が人を統制するという発想が通用しない時代になったのだ。統制ではなく管理と保護のために、人ではなく技術の力を借りることを検討すべき時代である。アンコンタクト社会のジレンマだ。

来たるべき大量リストラ

サムスン電子のスマートフォン生産ラインがある亀尾第2事業所（慶尚北道）では、新型コロナウイルス感染者の発生により工場が稼働停止になった。生産ラインを止め、事業所全体を24時間閉鎖し、消毒も行っている。問題は停止が一度で済むという保証がないことだ。感染者が出れば必ず生産に支障をきたす。そのため、サムスン電子は生産に支障が出ないよう、ギャラクシーS20やギャラクシーノート10の一部をベトナム工場で生産することに決めた。

亀尾はかつて、サムスン電子をはじめとした国内の大企業の事業所が密集する韓国を代表する産業都市だった。しかし、2010年代に入ると海外や首都圏に事業所を移す企業が増え、衰退し始める。サムスン電子の亀尾事業所も徐々に規模を縮小していた。こうした状況下でコロナのあおりを受け、すでに予定されていた仕事までベトナム工場に流れたことは、亀尾事業所や社員、そして亀尾市全体にとっての危機と言える。伝染病の影響で工場が閉鎖されるというのは、企業として恐ろしいことだ。

生産に支障をきたす恐れのある変数を最小化することは企業にとって当然の課題でもある。そして伝染病の変数を減らす最善の方法の一つが工場自動化なのだ。人間を最小限にとどめて自動化を拡大させれば、人によって発生する変数が減る。

韓国ではサムスン電子、現代自動車、ＬＧディスプレイといった複数の大企業が新型コロナウイルスの影響で生産ラインを止めている。これらの生産ラインが止まれば、生産に支障をきたすだけでなく、彼らに部品を納品している部品会社や関係会社にまで、ドミノ式に余波が広がる。

特に現代自動車は、コロナの影響による中国の生産工場の旧正月連休延長にともなって部品の納入に支障が出たり、社員にコロナ患者が発生したりという様々な理由で生産ラインを止めることになった。こうした経験を何度か重ねると、自然と変数を最小化し、生産に支障を出さない環境を模索するようになる。工場における自動化やロボット設備の導入は雇用の減少にもつながる難しい問題ではあるが、コロナという強力な名分があれば、抵抗をはねのけることもできるだろう。

韓国のみならず、中国やベトナム、インドといった製造工場密集地域でも工場が稼働停止したため、多くのグローバル企業で生産に支障が出た。ヨーロッパやアメリカでも頻繁に工場が稼働停止している。伝染病によって世界中の工場が同時多発的に停止したのだ。企業はこれをきっかけに、想像すらしていなかった変数による打撃を実感し、製造業の生産ラインにおけるリスク軽減につながる工場自動化、物流自動化の促進を意識するようになった。新型コロナウイルスで経験したようなことが今後二度と再発しないという保証はない。むしろ頻出する可能性も十分ある。こうした状況で企業は選択を迫られている。

工場自動化やスマートファクトリー（Smart Factory）は、ずいぶん前から第四次産業革命やインダストリー４・０といった言葉と合わせて重要視されてきた。韓国政府もスマートファクトリーとＩＴソリューションの製造業融合推進戦略を打ち出し、２０２０年までに中小企業のスマート型工場３万カ所、２０３０年までにスマート産業団地20カ所とＡＩファクトリー２０００カ所を構築するという計画に沿って予算を投入している。

スマートファクトリーとは、人工知能やビッグデータ、ロボットなどのＩＴ技術を活用することで、顧客分析から企画、設計、生産、流通、販売に至るまでの全ての過程を結合し、顧客と市場をさらに緊密な関係にする製造環境である。単にロボットの自動化によって人がいなくなるというだけの話ではない。むしろ、スマートファクトリーを構築して生産性が高まり、売上が伸びれば労働者が増員されることもある。

しかし、新型コロナウイルスをきっかけに、人間を最小限、もしくはゼロにしてもうまく機能する工場環境に関する苦悩と需要は高まっている。コロナ以降、注目すべき産業としてどの国でも必ず工場自動化関連ビジネスを挙げているのも、こうした理由からだ。ただでさえ進むべき方向であり、ずっと歩んできた道であったところに、新型コロナウイルスがトリガーになったのだ。

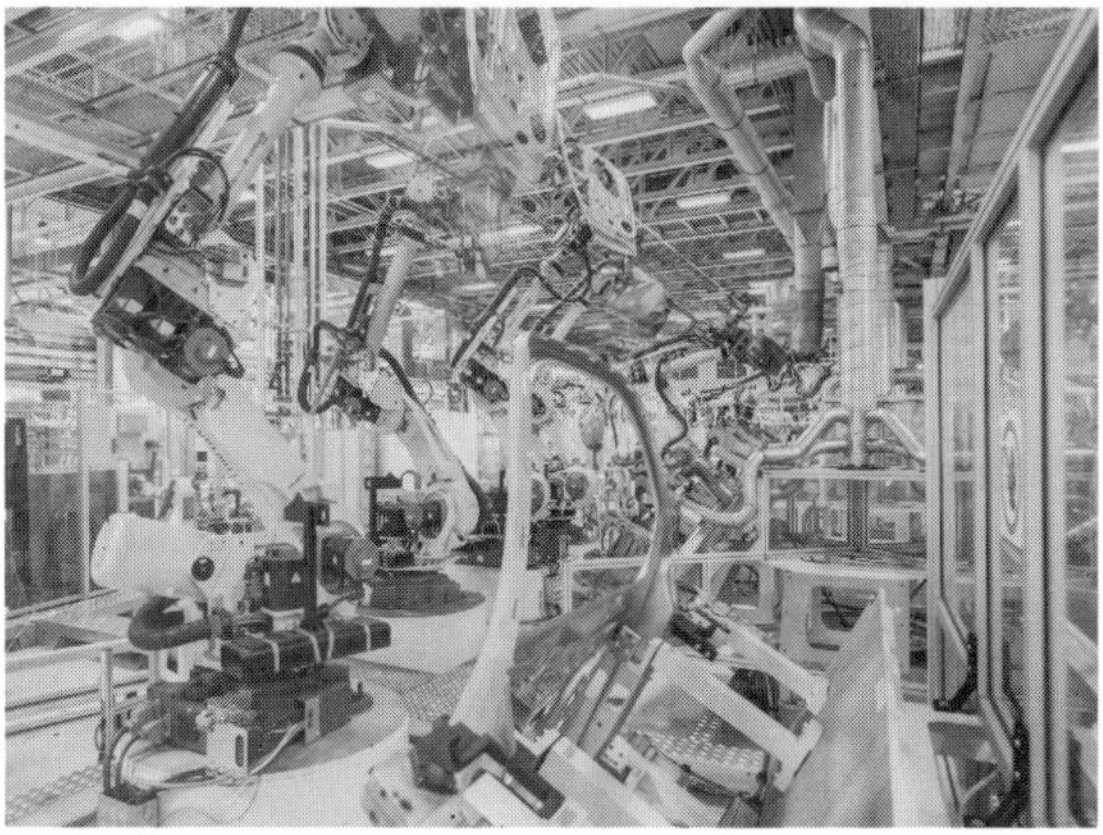
コロナ禍によって工場自動化に関する企業の悩みが一層深まった

現代自動車グループの義王《ウィワン》研究所は、現代自動車のR&D研究所として自動車だけでなく生産ラインについても研究している。ここで開発した、組み立て完了後の車の品質検査をする自動化装置を使えば、蔚山《ウルサン》工場で現状一つの生産ラインに投入している検収工程の人員27人を2人にまで減らすことができるという。

電気自動車工場をはじめ、光州《クァンジュ》型雇用工場〔訳者注：企業が安い賃金で労働者を雇用する代わりに、政府と地方自治体が福利厚生費用の支援をするという雇用創出事業のこと〕やインドネシア工場など、現代自動車が新たに建設する工場で導入される予定だ。このように自動化装備の投入が増えれば工場の人員は大幅に減ることになる。現在5万人程度いる現代自動車の生産職労働者のうち、全体の約30%にあたる1万5000人が2025年までに定年退職するが、人材の追加雇用計画はない。

電気自動車や自動運転車といった自動車産業の変化は、マンパワーの構造変化にもつながる。現代自動車だけでなく、グローバルに自動車業界全体で大規模なリストラが行われ、これを財源とした未来の自動車環境への投資が積極的に行われている。工場自動化もその一環だ。

LS産電の清州《チョンジュ》工場は、スマートファクトリーのモデルケースとしてよく取り上げられる。部品供給から生産、梱包までを自動化して以降、電磁開閉器の一日の生産能力は7500台から2万台に増え、不良品も100万個当たり368個から8個に減少した。さらに生産ラインの人材は40%ほど減少し、削減された人員は他の業務に再配置されている。生産量が大幅に増え、不良品が大幅に減ったのに加えて、人材まで削減できたことで、最大限の費用対効果が得られたわけだ。

韓国の主要な重工業分野でも工場自動化は拡大している。現代重工業、大宇造船海洋、サムスン重工業なども自動化工程の比率を高めている。ポスコや現代製鉄といった製鉄業界も人工知能を活用したスマートファクトリーシステムを構築し、生産工程におけるマンパワーを一気に減らした。2019年の韓国製造業全体の就業者数は2018年比で8・1%減少した。確かなことは、産業的進化による変化は止められないという事実だ。これを止めたり遅らせたりすれば、その分だけ産業の競争力が落ちる。輸出や対外依存度の高い韓国企業・韓国経済としては、国際競争力の強化のためにも積極的な対応が求められる。

工場自動化やスマートファクトリーによる雇用の減少をよく思わない人も確かに存在する。ロボットや自動化に雇用を奪われる未来を恐れる人もいる。そのため、工場にロボットや自動化設備を導入するための投資を巡る労組との対立は以前から世界中で起きていた。雇用を巡る利害関係の対立や、変化に対する抵抗があるのは当然だが、これに対する名分として、産業的進化の他にアンコンタクトも新たに加わった。

ロボット8台が237人分働く

業務報告や特定の様式による報告書、データ照会や整理など、反復的かつ定型化された業務をロボットソフトウェアで自動化し代替する「ロボットによる業務自動化」(RPA, Robotic Process Automation) は、生産性と効率性を高めるために必須となっている。

企業の狙いは、RPAの導入によって単純・反復・定型化された業務を減らし、その分だけ社員に問題の分析や解決といった本来の課題や、より価値がある仕事に集中してもらうことだ。労働力そのものを減らすためというよりは、効率性や生産性の向上を目的としている。とはいえ、これによって結果的に雇用が減少する可能性はある。

LG電子は2018年に営業、マーケティング、購買、会計、人事など12の職種における120の業務でRPA技術を導入した。以後もこれを拡大し2019年には240以上の業務に適用している。LG電子は、2018年7月から実施されている週52時間勤務制に先立って、2018年2月から事務職社員を対象に週40時間勤務制を試行した。その対応策の一つがRPAによる業務効率化である。

2018年8月からは、会社の共通業務や各種社内制度に関する役員の疑問にすぐに答えるチャットボット（chatbot）サービスも行っている。他にもLG電子では、事務職業務においてビッグデータやディープラーニングといったAI技術も活用している。

例えば、AI技術を活用してこの3年間に発生した債権の不渡り事例を分析し、アルゴリズム化して、取引先債権の不渡り危険度を知らせるモニタリングシステムを活用した。これにより、2018年は不渡り債権のうち65％を事前に予測できたという。

現代カードでは、2018年のRPA導入によって社員の業務時間が大幅に短縮され、単純なミスも減るといった業務の質的向上が見られた。RPAによって社員70人分の年間業務時間に相当する、年間1万5628時間もの業務時間削減効果があったという。70人分の労働力を追加で得たのと同じことだ。

現代カードは、2019年からカスタマーセンターにRPA技術を適用し、人工知能自動応答システム（ARS）を導入した。AI相談員は一度に100人までの顧客に対応でき、一日に最大で3000件の問い合わせを処理できる。これを使えば月平均150万件に及ぶ問い合わせのうち、最大で30％にあたる約45万件を人工知能相談員が応対できることになる。

LG生活健康は、RPAロボット「Rパート長」を複数の部署で計8台運営している。彼らが遂行する249の業務は、237人の社員が年間計3万9000時間を投入して行う業務量に相当する。主に実績報告や売上及び注文の処理など、これまで営業担当者が手作業で入力していた部分をRPAが代替することで、営業担当者は本来の営業活動により多くの時間を投資できるようになった。LG生活健康では、Rパート長に対する正式な人事登録まで行っている。つまり職員たちにとっては本物の同僚なのだ。

ハナ銀行では与信管理、外国為替業務、投資商品など7分野10単位の業務において取り入れたRPAの業務範囲を拡大している。これまで1時間かかっていた業務を2〜3分で処理できるようにするなどして、2019年5月には年間8万時間分の業務に対するRPA構築が完了したと発表している。RPAによる時間の削減が年間32億ウォン（約2億9000万円）のコスト削減につながったわけだ。RPAの投資コストが業務生産性と効率性の向上、マンパワー削減効果で相殺できたことになる。

IT、消費財、金融など、韓国の主な大企業では分野を問わず、RPAを導入していない会社はないといっても過言ではない。2017年に注目を集めたRPAは、2018年にブームとなり、2019年を経て2020年には一層拡大している。

すでにRPAは、大企業のみならず公企業にも広がっている。韓国放送通信電波振興院は、2019年6月から給与・賞与処理業務にRPAを適用しており、2020年には給与の他、入退社手続きや福利厚生、勤怠管理などに至るまで適用を拡大する計画だ。国民年金公団、公務員年金公団などでは契約費用の処理と日々の決済、残高、売買、手数料の内訳報告や会議資料の作成などにRPAを一部導入している。

韓国水資源公社や韓国電力公社などでも再生エネルギー精算業務における検針結果の登録や税金計算書、決済要請といった業務をはじめ、料金割引対象指定などの業務でもRPAを一部導入した。

すでに海外でも大企業や公共機関におけるRPAの適用は活発に行われている。単純なルーティンワークを減らして、人材の業務効率を高めることは、全ての企業にとっての課題だ。そして、その課題解決の過程では雇用減少に対する憂慮も存在する。事務職の業務環境においても、RPAによるアンコンタクトは間違いなく拡大する。

市場調査機関「トランスペアレンシー・マーケット・リサーチ」(Transparency Market Research)は、世界のRPA市場は毎年60%以上も成長しており、2020年までに世界の大企業の85%がRPAを業務に導入すると予想した。

グローバルITサービス業界にとっては当面、最も重要な市場の一つである。生産職では工場自動化が、事務職ではRPAが進むべき方向だ。いずれも産業的進化と技術的進化がもたらしたアンコンタクト業務環境である。

なぜアマゾンは自律走行型配送ロボットに投資するか？

オンラインで買い物をしても、最終段階では人がトラックに商品を積んで配送しなければならない。では、配送を自律走行型配送ロボットにやらせたらどうだろう？　2020年1月、アマゾンは特許を取得した新型の自律走行型配送ロボットを公開した。アマゾンが特許を取得したのは、複数の顧客の注文商品をそれぞれのボックスに分けて配送できる自律走行型ロボットだ。

顧客は自動で自宅に到着した自律走行型配送ロボットに暗証番号を入力し、自身に送られてきた商品の入ったボックスを開けて商品を取り出す。配送された商品が入る空間はアマゾンロッカー〔訳者注：アマゾンが提供するセルフサービスの宅配システム〕に似ており、スーパーの商品棚のようでもある。戦車のような外観で、水中でも作動する。特許に含まれる図面を見ると、舗装された道路はもちろん、悪路や川も通れるように設計されている。

アマゾンでは2019年1月から実際に自律走行型配送ロボットのテスト運用を行っている。ワシントン州スノホミッシュ郡で、自律走行型配送ロボット「アマゾン・スカウト」(scout)が注文者に商品を届けたのだ。運営当初は人間が同行し、路上にいる歩行者やペットなどを認識して走行する様子をテストした。

こうした実地試験により、アマゾン・スカウトが歩行者だけではなく、走行経路上にあるゴミ箱やガーデンチェア、すれ違うスケートボードといった通常の障害物の間を安全に走行できるとの判断が下った。2019年8月には正式にカリフォルニア州アーバイン地区の顧客への商品配送を始めている。自律走行型配送ロボットは未来ではなく、すでに現実のものなのだ。

2014年に自律走行型配送ロボットの試作品を完成させ、アマゾン・スカウトを開発したベンチャー企業ディスパッチは、2017年にアマゾンに買収されている。同社は以前から、自律走行型配送ロボットへの投資を行ってきたわけだ。今後は、進化したスカウトを自社の配送に電撃投入したのち、世界中の流通他社にもスカウトロボットを販売するはずだ。

2020年2月、ロボットと自動運転車のスタートアップ企業のNUROが開発した完全無人運転配達車「R2」が、アメリカ運輸省道路交通安全局(NHTSA)から自動運転車に対する規制免除の承認を受けた。一般道路の走行が可能な臨時免許を取得したのである。

同社は2018年12月アリゾナで、旧モデル「R1」をアメリカの代表的なスーパーマーケットチェーンで流通業者のクローガー(Kroger)と共同で試験運用している。実地テストを通じてさらに進化したモデルR2には、私たちが車と聞いて思い浮かべる運転席やアクセルペダル、サイドミラーなどがない。直接運転するための装置が全くないのだ。あるのは商品配送のための貨物積載スペースだけである。最大速度は時速40キロメートル程度だ。

NUROは2019年12月にウォルマートと業務締結を結んだ。アマゾンのみならず、クローガーやウォルマートでも自律走行型配送ロボットを活用する計画ということであり、それが配送の未来形態というわけだ。人ではなく自律走行型配送ロボットが商品を配送するというのは典型的なアンコンタクトである。配達員をロボットに変えた場合の利益と、顧客が配達員に会わずに済むという利便性のため、流通会社はアンコンタクト配送環境に投資している。消費者の欲求と企業の利益が同時に満たされるのだから、拡散しないはずがない。

自律走行型配送ロボット「アマゾン・スカウト」
出典：アマゾン

中国のオンラインショッピングモール「JD.com」は2020年2月から武漢市で自律走行型配送ロボットの運営を始めた。新型コロナウイルスの感染者が初めて確認された武漢市に投入された自律走行型配送ロボットは、600メートルほどの距離を往復し、人との直接接触を最小限にとどめて物品の配送を行った。JD.comは自律走行型配送ロボットを通じて市内の地図と交通データも収集し、実地テストを行っている。新型コロナウイルスが作った危機を、自律走行型配送ロボットのテストを実施するチャンスにしたわけだ。

中国の出前アプリ「美団点評」は北京で自動運転車を使った配達サービスを試行した。その際、道路だけでなく室内を移動して配達するロボットや配達用ドローンについてもテストしている。この他にも、中国ではオンラインショッピングモールや配達アプリで自動走行による配送テストを行っている。これまでも関連業界で推進されていた傾向ではあるが、トリガーとなったのは新型コロナウイルスだ。

自律走行型配送ロボットは、韓国の流通業界でも検討されている。イーマートは2019年10月、都心走行に成功した自動運転車「SNUver」を作ったスタートアップ企業「トールドライブ」と共に、汝矣島で2週間の自律走行型配送サービス「イーライゴー」(eli-go)の試験運用を行った。一般道路でのみ自動運転を行い、マンション敷地内では運行要員が運転している。車両には運行要員と配送要員が1人ずつ乗車した。直ちに現場に適用するためのテストではなかったが、配送分野においても自律走行型ロボットによるアンコンタクトが重要であることを示す事例としては十分だ。

出前アプリ「配達の民族」も自律走行型配送ロボットのテストを行っている。レストランの室内専用サービングロボット「デリプレート」、配達員が配達した料理をロビーから注文者のいる階まで届ける「デリタワー」、配達員の代わりに自律走行して屋外に配送をする「デリ」の3種類だ。

LG電子が作った「LGクロイ・サーブボット」は自動走行でサーブするロボットだ。LG電子は、サーブだけでなく接客や調理まで行うダイニングロボットも作っている。サムスン電子も同様だ。生活ロボット市場に韓国を代表する電子メーカー各社が全て参入したことになる。

ロボットが出前をする時代

日常の中で生活ロボットが自動で動き、料理だけでなく家事まで行う未来がすでに近づいている。家で家事をしていた人の役割が減れば、いわゆる「お手伝いさん」たちの就職も厳しくなるだろう。私たちが日常で見かける宅配便や出前の配達員、サーブ担当の接客員、家事代行業などにとっては厳しい雇用環境となるが、企業はすでにその方向へ進んでいる。アンコンタクトは逆らえない流れなのだ。

eスポーツ市場が拡大するもう一つの理由

新型コロナウイルスによって世界中の産業が危機を迎えた。スポーツ産業の最強国であるアメリカでは全てのスポーツが中断された。NBAは中断、MLBは開幕が延期され、ゴルフのPGAツアーとLPGAツアーも共に中止された。プレミアリーグ、ラ・リーガ、ブンデスリーガなどヨーロッパサッカーの5大リーグは全て中断された。テニスの全仏オープンは延期され、ウィンブルドンは中止となった。韓国でもプロバスケットボールのシーズンが中断され、プロ野球は開幕を延期した。

2020年の欧州選手権（ユーロ2020）は2021年に1年延期された。4年ごとに開かれるヨーロッパのサッカー大会で、ワールドカップに劣らぬ人気を誇る世界的なイベントである。ヨーロッパサッカー連盟（UEFA）は60周年記念大会として大々的に開催を予定していたものの、史上初の大会延期が決まった。新型コロナウイルスの影響である。

南米サッカー選手権（コパ・アメリカ大会）も2021年に延期された。2020年最大のスポーツイベントである東京オリンピックまで延期されている。スポーツイベントやリーグの中断・延期は莫大な経済的損失をもたらす。韓国文化体育観光部のスポーツ産業実態調査（2018）によると、世界のスポーツ産業規模は2017年時点で1兆3000億ドル（約139兆円）

だ。スポンサーシップと放映権により莫大な収入を得られる市場である。韓国内のスポーツ産業規模も2017年時点で75兆ウォン（約6兆7500億円）になっている。この市場が打撃を受けたのだ。

コロナ禍が過ぎればスポーツ産業は正常化し、人々は再びスポーツに熱狂するだろうが、過去と同じというわけにはいかないはずだ。不安が完全に消えることはないため、産業レベルでスポーツに対するより安全な代替需要を作り出す必要がある。それこそがeスポーツ市場だ。新型コロナウイルスを受けてeスポーツの大会も中断された。しかし、全てのスポーツ産業の中断が、eスポーツのすそ野拡大のチャンスになったのは間違いない。

スペインのプロサッカーリーグ「ラ・リーガ」では、新型コロナウイルスによるリーグ中断後に面白いことが起きた。2020年3月15日に開催予定だったレアル・ベティスとセビージャとの試合が新型コロナウイルス禍によって延期になると、スポーツゲーム専門のゲーム会社「EAスポーツ」は、両チームから代表選手を1人ずつ招き、オンラインサッカーゲーム「FIFA20」で対決させた。

実際の試合の代わりに、ゲームで延期された試合に対する口惜しさを慰めたわけだ。このサッカーゲームのオンライン中継は、6万人が同時アクセスするほど関心を集めた。本物の試合がなくなったため、代案としてeスポーツのサッカーゲームを観戦したのだ。その際に実況を担当したスペインのeスポーツ解説者イバイ・ジャノスはその後、さらなる企画を立てた。実際のサッカー選手を集め、競技場の代わりにオンラインサッカーゲームの代名詞である「FIFA20」で大会を開いたのだ。

イバイ・ジャノスの提案をラ・リーガが受け入れたことで実現したこの大会には、ラ・リーガの20チームのうち18チームが参加した。欠場したチームにはFIFA20のライバルゲーム会社とのスポンサー契約があった。18チームの本物の有名プロサッカー選手たちはオンラインサッカーゲームで自チームを代表し、大会に出場した。

FIFA20は実在する選手でゲームが構成されているため、ファンも実際の試合を見るようにオンラインゲーム中継を視聴した。面白いのは、優勝したレアル・マドリードを代表した選手が負傷で今シーズン1試合も出場できなかったマルコ・アセンシオだったということだ。負傷でチームに貢献できなかった選手が、リーグが中断されて開かれたオンラインサッカーゲーム大会ではチームを背負って出場し、優勝したのである。参加した選手たちが自チームを操作しトーナメント形式で優勝を争ったこのゲームでは、選手間の偏差を考慮して能力値が同一になるよう調整した。

決勝戦はなんと17万人が視聴し、スペインの放送局ではこれを中継するために放映権料14万ユーロ（約1700万円）を支払った。試合後の選手インタビューも、本物の試合に出場した後と同じように行っている。

サッカーだけでなく、全てのスポーツ競技が新型コロナウイルスにより中断された状況で行われたサッカー選手によるオンラインゲーム大会は、主要なスポーツメディアで大きく取り上げられた。その瞬間だけは、スペイン全域で最も関心を集めたスポーツになったわけだ。

新型コロナウイルスによってリーグが延期された韓国のKリーグでも、3月22日にプロサッカー選手によるゲーム大会「Kリーグ・インターネット・トーナメント」が開催された。韓国プロサッカー連盟が8チームから1人ずつ選手を出場させたのだ。このイベントの開催にあたり、連盟は全チームに対して各選手がどんなゲームをするかを調査し、最も多く利用されているサッカーゲームを確認すると同時に、選手の選抜にあたっては認知度よりもゲームの実力を優先するよう要請をした。プロゲーマーではないが、ゲーム上手な本物のサッカー選手によるゲーム大会が行われたのだ。

使用されたゲームはEAスポーツの「FIFA Online 4」で、優勝は城南FC、中継はアフリカTV〔訳者注：韓国の映像配信サービス。日本のニコニコ生放送のようなもの〕で行われた。ラ・リーガと最も異なっていた点は、各チームの参加選手を試合終了後に明らかにしたことだ。ファンはどの選手が出場したのかを推測しながらチームを応援した。本当のサッカーができない時期に行われた変わったかたちでのファンサービスだったが、連盟は今後もeスポーツを活用したイベントを続けると発表している。

韓国のKリーグも、スペインのラ・リーガも、サッカーリーグが中断された状況で一様に選択したのはオンラインゲームだった。これは他のサッカーリーグでも真似しやすい方式であり、サッカー以外の野球やバスケットボール、ゴルフ、アイスホッケー、アメリカンフットボール、テニスといった人気プロスポーツにも拡大できるものだ。F1グランプリも新型コロナウイルスの影響で大会が延期されると、F1レーシングゲームを使ってオンラインでF1バーチャルグランプリを行った。F1選手たちが車の代わりにゲームで競走したのだ。

コロナ禍により様々なスポーツ種目で始まった単発のイベントは、これをきっかけに定例イベントになる可能性もある。本物のスポーツとeスポーツを連携させる試みも増えていくかもしれない。バーチャルリアリティや拡張現実などを使ったスポーツゲームが、私たちをよりリアルに試合に没頭させる時代が近づいている。eスポーツ市場が大きくなる理由は十分にある。

オンライン・モバイルゲーム市場は、新型コロナウイルスの恩恵を受けた分野の一つだ。ソーシャルディスタンスや自主隔離、さらに在宅勤務の拡大や始業延期などによってゲームの需要が増えた。2020年3月15日現在、世界最大のPCゲームプラットフォーム「スチーム」(Steam)の世界同時接続者数が過去最大の2000万人を突破し、前年同期比15%増加した。週末だけでなく平日にもこの水準が維持されている。

ゲーム分野の市場調査会社「センサータワー」(Sensor Tower)によると、2020年2月の世界のモバイルゲームダウンロード数は前年同期比39%増の40億件だった。新型コロナウイルスによって、ジャンルを問わず主要オンラインゲームの同時接続者数が上昇している。通常、

3月はゲームのオフシーズンに属するのだが、2020年だけは例外だった。オンラインゲームやモバイルゲームに参加する人はそうでない人に比べて相対的にeスポーツ大会への関心が高いと言われているので、ゲームをする人が増えることはeスポーツ産業にとって好材料になる。

従来の人気スポーツは、全て選手同士の接触が避けられない種目だ。選手だけの問題ではなく、選手が感染すればファンも感染しかねない。そのため、新型コロナウイルスの発生当初は無観客試合が提起されることもあった。韓国でもバレーボールやバスケットボールの無観客試合が行われた。しかし、無観客試合というのは代案になり得ない。会場でファンが応援しながら楽しむスポーツから観客が消えれば、その瞬間スポーツは大の大人が走り回って行うボール遊びになってしまう。

ファンがいなければプロスポーツも存在し得ない。スポーツ産業としては、新型コロナウイルスのような問題がもう二度と発生しないとも限らない中で、プランBという観点からも、アンコンタクトをスポーツ産業にどう適用していくのか、eスポーツ産業を従来のスポーツ産業とどう結びつけていくのかについて模索しなければならない。

非対面診療と遠隔医療

　非対面診療や遠隔医療など、医療産業では以前からアンコンタクトを適用していた。最初は、離島や農漁村といった大規模病院から離れた地域の患者、そして年配者や障がい者のように移動が困難な患者のために、その必要性が提起された。しかし、これは大都市居住者や若者にとっても同様に必要なものだ。

　韓国の病院には多くのキオスク〔訳者注：公共施設に設置されたタッチパネル式の無人情報端末機や無人注文計算機のこと〕が設置されており、スマートフォンのアプリを使った病院予約サービスも増えている。そうは言っても、これは病院の予約部分をアンコンタクトにしただけであって、診療におけるアンコンタクトではない。

　韓国では今のところ医師の非対面治療が禁止されている。医師らが強く反対しており、いまだに制度と文化が受け入れていない。ここでも抵抗があるわけだ。しかし新型コロナウイルスがその抵抗を封じる名分を作ってくれている。既得権者の反発によって停滞していたが、遠隔診療は進むべき方向であり、医療業界の一部もその必要性には共感している。

　こうした状況の中で、政府は新型コロナウイルスを理由に、期限付きで遠隔診療の規制を緩和した。慢性疾患の患者が医療機関に行ってコロナに感染するのを防ぐため、電話診療を一時許可したのだ。遠隔診療システムがきちんと準備されているわけでもなく（厳密には、準備することを法が許さなかったというのが正しいだろう）、患者にとっても医療スタッフにとっても初めての経験だったため、一時的に許可した遠隔診療では患者の本人確認や保険適用、診療費の決済、処方箋や薬の受領などが円滑に行われず、混乱も生じた。

技術革新は医療をいかに変えるか

遠隔医療や非対面診療といったアンコンタクト医療環境は、オフライン中心の従来の医療環境と並行するべきものだ。それにもかかわらず、利害関係や制度の問題を理由に変化を拒み続けていれば、そこから発生する損害を社会が甘受せざるを得なくなる。

アンコンタクト技術が全方位に適用されている中で、病院だけが例外ということはなく、新型コロナウイルスをきっかけに非対面診療と遠隔医療の必要性も一層高まっている。病院内で別の患者や医療スタッフが2次感染するケースも多く、感染の有無を確認したり治療したりする医療スタッフは特に危険にさらされる。感染の疑いがある患者の鼻や口に綿棒を入れて検体を採取する方式のため、当然ウイルスに触れるリスクが高い。これを解決する方法として登場したのがロボットと遠隔協力診療である。

韓国内では非対面での診療はできないが、ロボットを活用した遠隔協力診療は可能だ。隔離された患者の空間に医療スタッフに代わって投入されるロボットを使って、医師が遠隔診療をするのだ。選別診療所にロボットによる遠隔診療を最初に導入したのはミョンジ病院である。発熱の症状がある患者を選別診療所に隔離後、呼吸器内科医が診療所に設置されたロボットを遠隔操作して診療を行った。これは他の病院にも広がっている。実際、韓国だけでなく他の国でも活用された方式だ。

中国の武漢協和病院には、清華大学の研究チームが開発した、月探査ロボットや宇宙ステーションロボットに利用されるロボットアーム技術で遠隔診療をするロボットが初めて導入され、感染患者の検体採取と超音波による内部臓器診断に活用された。

中国・武漢の武昌病院と提携した臨時病院ではロボットだけで運営される病棟を作り、そこに感染初期の患者を入院させた。ロボットは病棟を回りながら患者に食事や飲み物、薬を提供し、病棟内部の掃除まで行う。広州市の広東省人民病院では、隔離病棟に隔離された患者への薬の供給や、ベッドシーツの回収にロボットを投入した。

アメリカのプロビデンス地域医療センターでも、医療スタッフが聴診器を搭載したロボットを使って患者の体の状態を確認し、大型スクリーンで患者と医師がコミュニケーションをとりながらロボットによる遠隔診療を行っている。２０１５年のエボラ出血熱発生当時、アメリカではホワイトハウス科学技術局とアメリカ科学財団が開催したワークショップにロボット科学者が参加し、ロボットで行う遠隔診療、消毒、患者の治療や、患者への薬品、食品の配達、患者の汚染物処理といったロボットによる医療革新を提示した。

これにより、コロナ禍では世界的にロボットを使った遠隔診療が大きく増えた。国際学術誌『サイエンス・ロボティクス』（Science Robotics）は２０２０年3月25日、「ＣＯＶＩＤ－19との戦い：公衆保健と感染症の管理におけるロボット工学の役割」と題した論文で、新型コロナウイルスによって医療現場に積極的に導入されたロボットが、今後さらに拡散するという内容を発表した。

同論文には、中国の上海交通大学医療ロボット研究所長のヤン・グァンジョン教授、米国科学アカデミーのマルシア・マクナット院長、テキサスＡ＆Ｍ大学のロビン・マーフィー教授、カリフォルニア大学サンディエゴ校ロボット研究所のヘンリック・クリステンセン所長、カーネギーメロン大学のハウィー・チョセット教授など、ロボット分野の碩学らが名を連ねている。ロボットアームを使った手術はすでに韓国でも多く行われている。手術するロボットアームに止まらず、ロボットの役割が医療現場に深く浸透する未来がすぐそこまで来ている。医は仁術なりと言われるが、いまやロボットやアンコンタクト技術も活用した医療サービスの改善が必要になってきている。

世界の中で遠隔医療を全面禁止している国の一つが韓国だ。アメリカ、ヨーロッパ、中国、日本などは遠隔診療を許可している。日本の場合、初診は医師に直接会って診療を受けなければならないが、それ以降は遠隔診療が可能で、処方薬も宅配で受け取れる。韓国の場合は、ソウルにある大型総合病院に行くために、全国のどこにいようと、また高齢者や障がい者であろうと、無条件に車に乗って病院へ行き、医者と対面しなければ診療を受けられない。

そうして時間と費用をかけてやっと面会した医師の診療時間もあまりにも短い。検査結果が良かったという一言を聞くために、また、たった1枚の処方箋をもらうためにも、直接行かなければならない。

最も積極的に遠隔医療を導入している国はアメリカだ。アメリカ合衆国保健福祉省によれば、アメリカは医療機関の60%以上、病院の50%以上で遠隔診療（遠隔診療に類似したサービスを含む）を行っているという。アメリカではすでに日常的にスマートフォンアプリを使って医師の診療を予約し、テレビ電話や電話で診療・相談、薬の処方も受けている。しかも、こうした遠隔診療サービスは、病院の受付が閉まっている深夜や週末も可能であり、患者が旅行中でもサービスを受けることができる。こうした状況があるので、アメリカの企業では社員が遠隔診療を受けられるようにすることを医療福祉だと考えているほどである。

技術的進化が作った便宜を医療環境に適用したものこそ、遠隔診療である。世界的なオンライン流通の雄アマゾンは２０１７年、医師の処方に基づいて薬を自宅に配送する事業に進出した。２０１８年にはアメリカのオンライン薬局「ピルパック」を買収しブランド名を「アマゾンファーマシー」（Amazon Pharmacy）に変更、アメリカ市場を飲み込んだ。２０２０年初めにはイギリス、カナダ、オーストラリアなどでアマゾンファーマシーブランドを登録し、グローバル市場にも進出している。アメリカの遠隔医療企業の代表格であるテラドック（Teladoc）は、２０１５年７月にニューヨーク証券取引所に上場し、時価総額１００億ドル以上の企業となった。

アメリカではサブスクリプションサービス、つまり月額制の病院まである。２０１７年１月に設立されたサンフランシスコの病院「フォワード」（Forward）は月額１４９ドルで医療サービスを提供してくれる。健康診断を随時受けられるだけでなく、アプリを使って24時間医師の相談を受けられ、ボディースキャナーを使った疾病の確認や、遺伝子分析などもしてもらえる。治療より予防に重点を置いたこの病院の創業者は医師ではなく、グーグル出身のエイドリアン・アウン（Adrian Aoun）だ。コスラベンチャーズ（Khosla Ventures）をはじめとする有名ベンチャーキャピタルや、グーグル前会長のエリック・シュミット、セールスフォースのＣＥＯマーク・ベニオフといったＩＴリーダーたちからも投資を受けている。投資金額だけで1億１０００万ドル（約１１８億円）だ。もはや医療環境や医師・病院は過去の姿に止まっていない。

韓国保健産業振興院によれば、2018年に383億ドル程度だったグローバル遠隔医療市場の規模は、2025年には1305億ドルになると予想されている。しかしこれは2019年に出された試算なので、コロナ禍によって予想を上回る可能性もあり、アンコンタクト社会への転換が加速すればそれ以上になる可能性もある。産業の競争力や患者の便宜にも関わる問題のため、医療業界が目を背けたところで済む問題ではない。

いわゆる第四次産業革命（これを何と呼ぶかにかかわらず、産業の革新的変化は現実である）で最も重要視される環境変化であり、未来産業の一つであるスマートシティ産業に積極的に投資する企業の中には、通信、ITサービス、自動車業界が多い。これらの業界はモビリティサービスにも投資している。つまり、未来において最も重要な産業基盤であり、私たちの日常基盤となるのが都市と自動車の変化ということだ。

そして、この変化には医療分野も絡んでくる。疾病への迅速な対応による死亡率の低下と、安全水準の向上による犯罪や事故率の低下が予想されるのだ。マッキンゼー・グローバル・インスティテュート（McKinsey Global Institute）の「スマートシティ報告書」（2018）によれば、スマートシティでは疾病負荷（Disease burden）が8〜15％減少し、緊急医療に要する時間は20〜35％、犯罪・事件は30〜40％、死者は8〜10％減少するという。

スマートシティとは、単に都市建設そのものが変わるということではなく、人々の日常や生活の質が変わるということだ。センサー技術によるリアルタイムの健康チェックと人工知能やビッグデータによる最適な予防・治療が遠隔診療の基本になることであり、こうした環境においてアンコンタクトは何よりも重要になる。

グローバルIT企業の量子跳躍

企業や産業が段階を飛び越えて飛躍的に発展することは、物理現象の量子跳躍《りょうしちょうやく》（Quantum Jump）にたとえられる。この用語は、十分なエネルギーが与えられた瞬間に原子を構成する電子が一気に跳躍することで、量子が連続的な流れではなく、階段を駆け上がるようにジャンプすることを指す。

量子跳躍は経済学に応用して使われるようになった。企業と産業の発展においても、一定の速度ではなく、特定の時期に大跳躍が起こって次の段階へと成長する。新型コロナウイルスは産業進化のトリガーとなっている。これをきっかけに産業の進化はさらに加速するはずで、その恩恵を受けるのはグローバルＩＴ企業だ。

世界のＩＴ企業の時価総額ランキングを見ると、最上位圏にいるのはアップル、マイクロソフト、アマゾン、グーグル、フェイスブック、アリババ、テンセント、サムスン電子などだ。

彼らはＩＴ企業に限らず、全企業の時価総額ランキングでも最上位圏を維持する。私たちが生きる現代における全産業の中のＩＴ産業の地位を端的に示す例である。

それでは、アンコンタクト社会はこうしたＩＴ企業にとって得なのだろうか？　新型コロナウイルスによって世界経済が大きな打撃を受け、多くの企業が経営難に陥った。ところが驚くべきことに、すでに世界最高峰にいる企業やＩＴ企業ではコロナの恩恵を受けている。これはコロナがアンコンタクト社会の迅速な拡散に一役買っているからだ。

新型コロナウイルスの恩恵を受ける代表的な分野が、クラウドコンピューティングサービスだ。ＩＴインフラの中心はすでにクラウドコンピューティングサービスに移行しており、ＩＴサービスの実現のためにソフトウェアもハードウェアも全てクラウドコンピューティングで借りている。

アマゾンでの商品購入も、ネットフリックスでの映画鑑賞も、在宅勤務のためのズームのようなサービスの利用も、全てクラウドコンピューティングサービスによって実現している。日常の中でオンラインでの取引や消費が増えるほど、クラウドコンピューティング市場は拡大していく。新型コロナウイルスによってオンライン上で過ごす時間や消費する金額が大きく増えた。すなわちクラウドコンピューティングサービスのトラフィックが増えたのだ。クラウドコンピューティングサービス市場が、投資余力をさらに確保していくということである。これは半導体市場にも影響を与える。サムスン電子が恩恵を受けることになるだろう。

産業はドミノのようにつながっている。世界のクラウドコンピューティングサービス市場におけるビッグ4は、アマゾン、マイクロソフト、グーグル、アリババだ。アマゾンのクラウド事業であるアマゾンウェブサービス（ＡＷＳ）は２００６年にスタートし、クラウドコンピューティング市場を作り上げ、長きにわたって市場の半分以上を占めてきたが、その後は後発企業らの躍進により、やや数字を落とした。

市場調査会社のカナリス（Canalys）によると、２０１９年第４四半期現在のクラウドコンピューティング市場の占有率はＡＷＳ32・３％、マイクロソフトアジュール16・９％、グーグルクラウド５・８％、アリババクラウド４・９％だ。彼らの２０１９年のクラウドコンピューティングサービスの売上はＡＷＳが３４６億ドル（約３７００億円）、マイクロソフトは１８１億ドル、グーグルは62億ドル、アリババは52億ドルである。上述の企業だけで６４１億ドルに上る。

２０１９年の世界のクラウドコンピューティング市場規模について、シナジーリサーチグループは９６０億ドル、カナリスは１０７１億ドルと発表した。二つの市場調査会社の額を平均すると約１０００億ドルになる。今後の市場規模については、２０２０年は１４１０億ドル、２０２４年には２８４０億ドルを見込んでいる。

さらに驚くべきことは、ＡＷＳのＣＥＯアンディ・ジャシーが２０１９年12月、ＡＷＳの年次イベント「re:Invent2019」で語った「依然として世界のＩＴ予算の97％は、オンプレミス

（On-premise，ソフトウェアやハードウェアをクラウドのような遠隔環境ではなく、自前の電算室サーバに設置して運営する方式）に充てられており、クラウドに充当されているのは3％だけだ」という言葉だ。

グローバルリーディング企業はクラウドに転換しているが、依然として多くの企業が過去のやり方を使っている。これは言い換えれば、クラウドコンピューティングサービス市場には今後非常に大きなチャンスがあるということだ。オフライン基盤から遠隔基盤に転換することで得られるメリットについては誰もが理解しているが、既存の設備と環境を変えるには莫大な費用がかかるため、まだ変えられないところが多い。しかし、こうした転換のきっかけにも新型コロナウイルスが作用する。

アップルは新型コロナウイルスの影響で製造工場がある中国での生産に支障をきたしたが、中国の生産施設復旧によって打撃を減らすことができた。アップルは製造会社でありながら、アップストアやアップルミュージック、アップルTVなどを手掛けるサービス会社でもある。これらのコンテンツサービス分野は恩恵を受けた。

新型コロナウイルスによるオンラインショッピングの恩恵は特に大きかった。アマゾンが10万人の追加採用という大規模な人員補充を発表するほど、オンラインショッピングの需要は増えている。アマゾンはペットフードの製造・販売事業も行っており、2月20日～3月15日までのドッグフードの販売は前年同期比13倍になったという。

他にも、アマゾンが手掛けるオンライン薬局事業では、処方箋なしに購入可能な風邪薬の販売量が前年同期比9倍に増えたという。スーパーでの買い物に不安を抱く人々によって、アマゾンでの買い物需要が急増した。

アリババは中国だけでなく、世界でも最大規模となるオンラインショッピングモール「アリババドットコム」をもっている。アリババもコロナの恩恵を受けた。世界最大の売上高を誇る中国のゲーム会社「テンセント」は、「微信《ウィーチャット》」というモバイルメッセンジャーで有名な会社だ。屋外活動が大幅に減った代わりにオンラインゲームの需要が増えたため、テンセントも恩恵を受けたことになる。あわせて新型コロナウイルスによって世界中でテレワークや在宅勤務の需要が急増したことにより、企業用メッセンジャー市場やウェブ会議ソリューション市場も急成長した。

マイクロソフトの企業向けメッセンジャー「マイクロソフトチームズ」は、3月中旬の1週間で一日のユーザー数が37%増加し、フェイスブックでは、「ワッツアップ」サービスの音声通話量とフェイスブックメッセンジャーの利用量が共に2倍ずつ増えたという。

ネットフリックスは、3月に入ってアプリのダウンロード数がイタリアで66%、スペインでも35%増加するなど、ヨーロッパ全域で利用が急増した。これによりヨーロッパではストリーミング・トラフィックに耐え切れなくなり、動画の品質を落としてサービスをすることになった。ユーチューブも同じ理由で高画質動画のストリーミングサービスを1カ月間停止している。コロナ禍のソーシャルディスタンスで自宅にいるようになり、ネットフリックスとユーチューブの利用者が急増したために起きた出来事だ。これはネットフリックスとユーチューブの収益が増えるシグナルであり、インフラにさらに投資するきっかけになるわけだ。

アップル、マイクロソフト、アマゾン、グーグル、フェイスブック、アリババ、テンセント、サムスン電子などは世界最高の企業であり、コロナ禍でもチャンスを見出し得る企業だ。厳密に言えば、新型コロナウイルスがきっかけとなったアンコンタクト・エコノミー（Un-contact Economy）におけるチャンスである。アンコンタクト・エコノミーとは、アンコンタクト技術とアンコンタクト文化が作り出す新しい経済、すなわちアンコンタクト社会が作り出すビジネスチャンスや市場のことだ。

コロナがビジネスに及ぼす影響や、コロナ後のビジネス環境がどう変化するのか、対応に悩む企業は多い。危機とは常に新たなチャンスを生み出すものなので、コロナからチャンスを得ようとするのは企業として当然だ。その答えになるのがアンコンタクト・エコノミーである。

最上位に位置するグローバルIT企業の代表的な事業であり、未来技術・未来産業として挙げられる人工知能、ビッグデータ、5G、ブロックチェーン、モビリティ、スマートシティ、スマートファクトリー、クラウドコンピューティング、ロボットなどは、興味深いことに全てアンコンタクトに通じる。人を中心に製造し、サービスを行っていた環境から人の役割を大幅に減らす技術であり、それによって効率性と生産性を高める技術である。

そして、これらは全てあらゆるもののサービス化を意味する「XaaS」（X［ここにはあらゆるアルファベットが該当する］as a Serviceの略）へとつながっている。サービス業が製造業をリードするようになり、全てのビジネスが「サービス」につながるといっても過言ではないほど、その地位と役割が変わった。

そしてサービス業全盛期は、ライフスタイルビジネスやIT技術にも広がっていく。所有するのが最善で、購入するのが全てだった過去と現在は違う。そのため、各企業のビジネス方向も変化した。

例えば、グローバル自動車メーカー各社が自らのビジネスについての定義を「製造業」ではなく「モビリティサービス業」だと言うのには理由がある。自動車産業において、自動車を一台も作らないカーシェアリングプラットフォーム会社の方が自動車メーカー以上に主導権を握るということもあり得る時代だ。

自動車を製造しても消費者が所有を望まないならば、製造が得意なだけの企業は役割を制限される。自動運転車が現実になる時代、自動車の概念と所有、運行の方式が変わるのは当然だ。こうした状況では、自動車メーカーもサービス業にシフトせざるを得ない。顧客は自動車を購入するのではなく、自動車によって得られるライフスタイルや便利さ、楽しさを購入しようとしているのだ。

自動車メーカーは車よりもモビリティサービスを販売しなければならないということだ。これこそが「MaaS」（Mobility as a Service）である。インダストリー4・0が提起されたのも製造業の進化であり、その中心には単なる工場自動化ではなく、XaaSを実現する製造業がある。

当初は技術的な問題であったXaaSが、いまや経営戦略の問題になっている。技術や装備の導入ではなく、デジタルビジネスを経営に取り入れ、そうした観点から消費者を見つめ、働き方を変え、組織文化を変えることをデジタル・トランスフォーメーションと呼ぶ。ブロックチェーンの重要性が叫ばれるのも、あらゆるもののサービス化をはかるためである。

XaaSのXには何を入れてもよいのだから、AIaaS（AI as a Service）、BaaS（Blockchain as a Service）、DaaS（Data as a Service）、SaaS（Software as a Service）、PaaS（Platform as a Service）、IaaS（Infrastructure as a Service）、HaaS（Hardware as a Service）など、果てしなく拡張する。つまり、全ての産業に適用されるということだ。

ITとは、もはや特定の産業分野を示すものではない。自動車もITの領域となり、モビリティ、カーシェアリング、自動運転車などへと進化した。建設もITの領域となり、スマートシティ、ホームネットワークなどへと進化している。金融も同様にフィンテック（fintech）、ブロックチェーン、キャッシュレス、ロボアドバイザー（Robo-Advisor）などへと進化しており、流通もＯ２Ｏ（Online to Offline）、オムニチャネル（Omni-Chans）、モバイルコマース、ライブコマース、ＶＲショッピングなどへと進化した。

ビジネスプロセスを向上させるというＩＴ技術の役割こそが、ＩＴが全ての産業で必要とされる理由である。まだ産業的転換は終わっていない。いや、まだ程遠い状態だ。それだけビジネスチャンスも、成長の伸びしろも多い。

アップル、マイクロソフト、アマゾン、グーグル、フェイスブック、アリババ、テンセント、サムスン電子の他、ネットフリックス、ＮＶＩＤＩＡ、オラクル、ペイパル、ＩＢＭなどを含むＩＴ企業の時価総額トップ20のうち、３分の2がアメリカ企業である。世界の企業の時価総額ランキングでも10位までに7社もアメリカ企業が入っている。アメリカがＩＴ産業及び全世界の産業の主導権を握っているといっても過言ではない。アンコンタクト・エコノミーにおいてもアメリカがもつ産業の主導権が幅を利かせるというわけだ。アメリカではＩＴ企業間の協力が著しい。グーグルやアマゾン、フェイスブックなどがＡＩ分野で協力している。アンコンタクト社会はグローバル企業の影響力をさらに強めるだろう。

こうした状況において、韓国の企業には大胆な変化が求められる。ＳＫテレコムの朴正浩《パクジョンホ》社長は２０２０年3月26日に行われた第36期定期株主総会で「ＳＫテレコムはコロナ禍を、長い間準備してきた非対面・非接触営業やマーケティングのテストをし、非対面社会への転換を劇的に強化するチャンスにする」と述べた。株主総会である以上、危機的なコロナ禍であっても会社のビジョンを提示しなければならないためにした発言かもしれない。

しかしSKテレコムはすでに、新型コロナウイルスが問題になる前の1月に開かれた米国際家電見本市「CES2020」で、売上全体の60％以上を通信が占めるという同社の現状を変えるという目標を掲げ、社名も通信のイメージの強い「テレコム」から超協力を意味する「ハイパーコネクター」にするよう議論中だと語っている。

「SKテレコム」が「SKハイパーコネクター」になるということだが、単なる名称変更で終わってはならない。併せて働き方や組織文化も変わるという意味であり、より大胆な革新をするという意味でなければならない。アンコンタクト社会への転換が早まり、チャンスも増えた分だけ、革新できなかった場合のリスクも高まっているからだ。今後もビジネスを続けるのであれば、こうした変化や革新は「選択」ではなく「必須」になる。

第３章

ディストピア化する世界

——共同体・宗教・政治

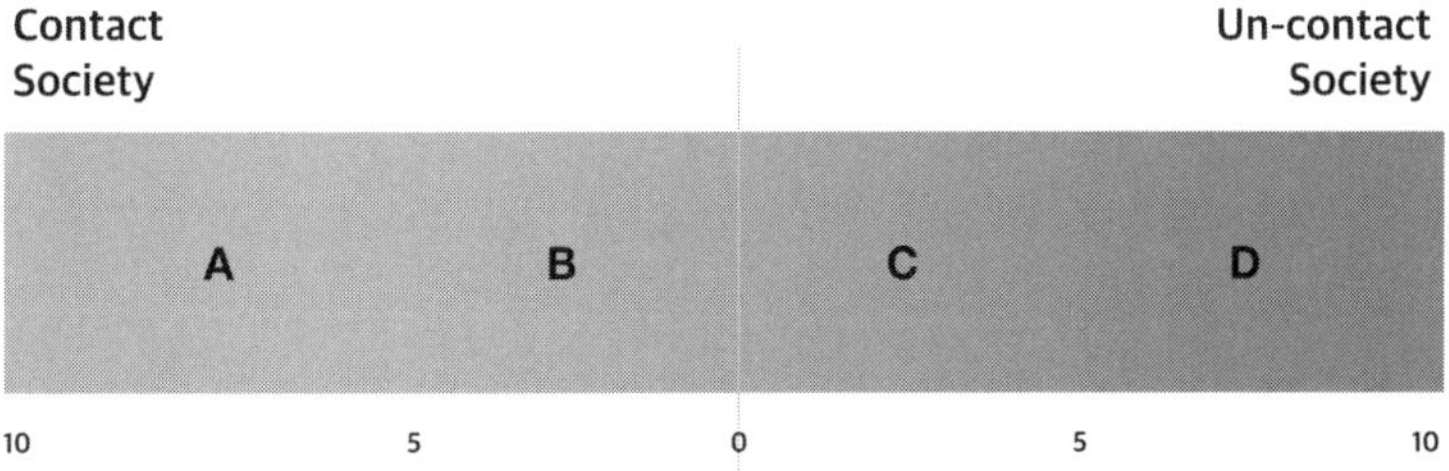

「内輪」が強化される

アンコンタクト社会の人間関係において最も重要なのは「似た者同士」だ。安全が確認され、お互いに似たようなレベルの志向を持つ人同士の関係が深まる。いわゆる「内輪」が強化されるのである。これまでは知識人や芸術家らを中心に、または富裕層を中心に、似た者同士が集まってきた。

前者がいわゆるサロン文化、ヒップスター文化を作ったとすれば、後者は上流階級のプライベートＶＩＰ文化を作っている。デパートやホテル、ブランド品業界がＶＩＰのためのパーソナル・ショッパー・サービスやプライベートサービスを提供しているのもこのような理由からであり、上流階級の会員制社交クラブが広まったのも同じ理由からだ。

私たちはすでに富や地位、個性や志向によって閉鎖された人間関係を維持する文化をもっていた。これが新型コロナウイルスによってさらに広がったのだ。混雑を嫌い、限られた人のみ出入りすることができる個室やプライベートルームなど、閉鎖・隔離された空間が好まれた。そこに不安が生んだ排他性が加わることで、すでに拡大しつつあったプライベートサービスにチャンスが訪れたわけだ。「プライベート＆プレミアム」は内輪を作る最も効果的なバリアである。

新型コロナウイルスの被害を免れた分野の一つが、高級デパートとブランド品のプライベートサービスである。被害どころか、パーソナル・ショッパーの予約率はさらに高くなったそうだ。デパートでは、年間購入金額によってＶＩＰ等級を付与された客に対し、彼らのみが出入りできるＶＩＰスペースを用意し、製品を薦めるパーソナル・ショッパー・サービスを提供する。

当然、誰もが出入りするわけではない彼らだけの閉鎖された空間である上、消毒や防疫といった安全管理も徹底されている。財力があれば、不安がある時期こそ、こうした場所でのショッピングを好むはずだ。

ブランド品業界も、ＶＩＰ顧客を外部の人と出くわさずに済む専用エレベーターのあるホテルのペントハウスや高級展示スペースに招待し、ＶＩＰ顧客同士も空間内での動線が重ならないように配慮している。これは新型コロナウイルスとは関係なく以前から行ってきたサービスだ。

かつてデパートでは、営業時間終了後にＶＩＰ顧客だけを招いて買い物をさせるというイベントまで行っていた。このようにプライバシーとセキュリティを守るために使われていた閉鎖された買い物空間には、新型コロナウイルスの影響で防疫も加わることになった。コロナによる休業や営業縮小でデパート全体の売上は大きな打撃を受けたが、ブランド品店は相対的に無事であった。

２０２０年2月1日〜3月15日までの新世界百貨店におけるブランド品の売上現況を見ると、店頭での売上は前年同期比14％、オンライン売上では前年同期比で41％伸びている。デパート全体の売上と来店客数が大幅に減少したにもかかわらず、ブランド品売り場の売上が増えたというのは、デパートのプライベートサービスが善戦したという証拠だ。実際に新世界百貨店のＶＩＰ会員は、当該期間中に平均４・８回来店している。一般顧客の同期間の平均来店回数２回よりはるかに多い数字だ。当該期間中の来店回数の減少幅も一般顧客47％に対し、ＶＩＰ会員は20％と相対的に少なかった。

コロナが拡散していた時期でも、ＶＩＰ会員が相対的にデパートを訪れることができたのは、防疫と安全に対する信頼があったからだ。デパートが管理を一層徹底していたからである。現代百貨店の同期間におけるブランド品売り場の売上は前年同期比０・７％増、オンライン売上は97％増であった。ロッテ百貨店では前年同期比マイナス7・9％と、ビッグ３の中では唯一減少しているが、オンラインでの売上は22％伸びている。オフラインの売上では明暗が分かれたが、オンライン売上では一様に満足を得られたかたちだ。

新世界百貨店がロッテ百貨店や現代百貨店に比べて店舗での売上増加が目立つのは、ブランド品売り場の多さと休業日数の少なさによる。ロッテ百貨店は２０２０年2月1日〜3月15日の期間中、感染者の来店によって全国16店舗で計23日間休業した。新世界百貨店では５店舗、現代百貨店では3店舗のみが感染者の来店で休業している。

現代百貨店では、新型コロナウイルス拡散後、狎鴎亭《アプクジョン》本店の1++等級〔訳者注：日本でいうA5ランク〕以上の韓国産牛の売上が前年比30％以上増加したそうだ。1++等級の国産牛の中でも最もマーブリング点数〔訳者注：いわゆる「霜降り」の度合いを示す〕が高い「マーブリングスコア№9ロース」に至っては、金曜日に入荷すると土曜日の午前中に売り切れてしまうほどだという。現代百貨店の顧客データ分析結果によると、このロースの売上の80％以上がＶＩＰ会員によるものだった。だからこそ、デパートはＶＩＰ顧客の誘致に積極的になるのだ。

ロッテ百貨店のＶＩＰ制度（ＭＶＧ）は4等級に分けられており、そのうち最も低い等級MVG-Aceでも、年間２０００万ウォン（１８０万円）以上（一部の店舗では１８００万ウォン以上）使わなければならない。MVG-Crownでは４０００万ウォン以上、MVG-Prestigeでは６０００万ウォン以上、LENITHでは1億ウォン以上だ。これに加えて２０１９年からは８００万ウォン以上のＶＩＰ＋を新設し、20～30代を誘致している。新世界百貨店でも年間４００万ウォン以上使えばＶＩＰ待遇を受けられる。ＶＩＰ級顧客の65％は20～30代だ。

「プライベート＆プレミアム」を経験した20～30代には、上位ランクのＶＩＰ会員になりたいという欲求が高まる。内輪を経験した人は、特権が与える大きな喜びを実感する。経験する前と後では感覚が変わるのだ。ブランド品の消費において20～30代が新たな消費勢力として台頭してくる中で、デパートは積極的に彼らをＶＩＰに引き入れている。

新型コロナウイルスによって高級ホテルは打撃を受けた。宿泊客も大幅に減少し、レストランのビュッフェの売上は落ち込みがひどかった。しかし、通常「別室」や「個室」と呼ばれるプライベートルームでは、むしろ予約が急増し、1~2週間早く予約が締め切られるほどであった。単なる親睦のための食事もあるだろうが、ビジネスミーティングとしての需要が入り、小規模なプライベートルームでの食事予約は相対的に打撃を受けていない。多くの人と共にする空間は差し支えるので、少数の限られた人だけで過ごせるプライベートルームが好まれたのだ。

高価ではあっても安全なイメージで好まれる高級ホテルにあるレストラン内のプライベートルームは一層安全に思われる。他のレストランが打撃を受ける中で、ホテルのレストランが相対的に善戦したのには、このような理由があった。ホテルやリゾート業界は大きな打撃を受けたが、会員制の高級リゾートは相対的に影響が少なかった。元々プライベートサービスが提供されていたところに、より徹底的に少数を管理するようになったため、安心できる空間だと考えられたのだ。

高級ホテルでも落ち込んだ客室稼働率を上げるため、アンコンタクトサービスを積極的に打ち出している。ソウル新羅ホテルでは外出自粛期間中、窮屈な家の代わりにホテルの部屋で、他人との接触なしに休める商品として、ルームサービスパッケージを販売した。朝食や夕食のルームサービスが付いた宿泊パッケージは、元々、「寒空の下どこかに出かけることなくホテルの部屋で休もう」というマーケティング戦略だった。毎年、旧正月直後の1カ月間販売していた商品を、視点を変えて新型コロナウイルスに適用させたのだ。

当初は3月の1カ月間のみ販売予定だったが、コロナ禍が続いたため4月まで販売を延長した。ホカンス〔訳者注：ホテルとバカンスを組み合わせた造語〕が普遍的なトレンドになっているため、外出自粛期間中であってもルームサービスパッケージをはじめとしたサービス空間に対する需要は存在する。高級ホテルでも客室稼働率が20～30％台まで落ち込んでいるのだから、業界としては客室稼働率を少しでも上げるために、こうした需要を取り込むほかない。

展示会も新型コロナウイルスで全て中止になった。休館した美術館やギャラリーも多く、開催中だった展示も中止され、新しい展示は日の目を見ることがなかった。そこで切ったカードがプライベート展示である。ソウルのアラリオギャラリーは、新型コロナウイルスの影響でアートバーゼル香港（Art Basel Hong Kong）が中止になると、出品作をアラリオギャラリー三清《サムチョン》にてプライベート展示した。

事前予約をした観覧客だけが出入りできるようにし、同時に観覧できるのは1人または1組までとした。事前予約した人たちなので身元も全て確認でき、見知らぬ他人と展示を見るのではないため、美術愛好家の間では反応が良かった。こうした方法でなければ展示そのものができず、作品を観覧する機会も失われたはずだが、プライベートサービスによってチャンスが生かされたのだ。

ソウル学古斎ギャラリーもマニアやコレクターのために1~2時間単位で予約を受けつけ、見知らぬ他人と出くわさずに展示物を見られるようにプライベート展示会を開いた。プライベート展示会は当然VIP中心になる。これまでも主要な美術館では新規の展示が始まる前にプレスとVIPを対象とした先行オープンで内輪を保証していた。

ソウルのロッテワールドタワーの123階には、プレミアムラウンジバー「123ラウンジ」がある。ソウルで最も高い場所にある空間で、プロポーズの名所としても有名だ。123ラウンジで販売している「ザ・スカイ・ロマンチック・プロポーズ・パッケージ」は一日4組まで受付可能で、パッケージの種類により1回当たり金額は30万ウォン、60万ウォンとなっている。高額ではあるが、コロナによる打撃もなく予約は堅調で、むしろ増加傾向にあるという。2020年2月の予約は前年同期比280%と増加した。誰でも手軽に利用できる金額ではないが、だからこそ特別なプロポーズをしようという人に好まれている。内輪を作る最も簡単な方法が「プライベート&プレミアム」なのだ。

前述の事例は消費における内輪の事例だ。コロナ禍でも彼らの消費は健在だった。こうした消費をする人々は、消費の面だけでこうした行動をとるのだろうか？　人との付き合い方や社会的関係、共同体でも同じ態度をとると考えるのが妥当ではなかろうか？　「普通」から抜け出したい人は、ますます増えていく。セレブや知識人、芸術家だけが自分の個性と志向を表現し、ユニークな存在として扱われたいのではない。個性の時代になり、より多くの人が普通ではない特別な自分としての評価と、そうした空間・サービスを享受して、そういう人たちと交わりたいと願っている。

ご近所さんの復活

今ではあまり聞かれなくなったが、「イウッサチョン〔訳者注：「イウッ」は隣人、「サチョン」は従兄弟を意味する〕」という言葉がある。従兄弟ほど近い存在のご近所さんという意味で、隣人との関係が深かった時代によく使われた言葉だ。赤の他人である隣人を従兄弟と同じレベルで扱っているのである。従兄弟といえば、相当に近い血族だ。

一般的な住居環境がマンションになって以降、かつてのように付き合いの長いご近所さんはいなくなった。マンションはいつでも売却できるため、隣近所は以前ほど親密ではなくなった。このままご近所さんとの文化は消え去ると思われた。

ところが最近、高級マンション群では、このイウッサチョンのようなコミュニティ機能を大変重視している。建設会社は分譲のためにもコミュニティ機能を強調する。朝食を出すところや、入居者のために様々なコミュニティ活動を支援するところが増えた。これがマンション分譲において重要なマーケティングポイントになるというのは、それだけ私たちが再びご近所さんを望んでいるということを意味する。どうせなら似た者同士で楽しみたい。似たような経済力をもつ人々は社会的なレベルも似ていると考えられるため、高価なマンションほどコミュニティが活発になる。

金で家族を買うことはできないが、隣人は買える。家族解体の時代、隣人は新たな家族になる。濃密ではないが、十分に交流し楽しめる間柄だ。一種の弱い絆である。マンションを売って引っ越せば全く関係がないが、同じマンションにいる間は共同の利害関係もある。マンション価格や地域のイメージを下げるような施設の建設に集団で反対したりするのもこうした理由からだ。

引っ越して新しいマンションへ行けば、またそこで新しいコミュニティと交流し、また別の弱い絆を結ぶ。ご近所さんの復活とは、かつてのご近所さんのことを指すのではない。同じ街で生まれ育ったという理由だけで親密になろうというのではない。時代の変化に沿った新しい形態のご近所さんを望んでいるのだ。アンコンタクト社会とは、全ての他人と断絶することではなく、つながる他人をより細かく選り分けるということなのだ。

「信頼している人からの紹介でつながるの。これが一番だと思う。なんて言うか、一種の信頼のベルトって感じ?」

これは映画『パラサイト 半地下の家族』（2019）にセレブな奥様として登場するヨンギョ（チョ・ヨジョン）のセリフだ。一定レベルをクリアした者同士が内輪の中で互いにつながろうという意味である。こうした態度は最近になって突然現れたものではなく、ここにきて浮き彫りになっただけだ。

高級マンションにおけるご近所さんの復活は、両極化した社会の断面を表している。価格が天井知らずの高騰を続けているため、数十億ウォンの呼び値がつく高級マンションには庶民と呼ばれる人は存在しない。財力が参入の障壁になることで自然と内輪が構築される。韓国社会では金より強力な階級の基準がないからだ。

シェアハウスもご近所さんの復活と見ることができる。シェアハウスは空間をシェアして暮らすため、一緒に暮らす人々と動線が重なるし、互いに関係を結ばざるを得ない。一緒にご飯を食べることもあるし、風邪でも引けば薬を買ってあげ、誕生日にはお祝いをすることもある。もはや家族のような間柄だ。シェアハウスにおいて最も重要なことは、一緒に住む人同士の結束だ。在住中の人が新しく入ってくる人にインタビューをしたり、シェアハウスの運営側が一緒に暮らせる人かどうかを審査したりすることもある。誰でも彼でも同じ家に入れることはできないからだ。

大企業が参入するまでスタートアップの領域だったシェアハウスに、大規模な資金や投資が集中している。端的に言って「金になるビジネス」だ。大手建設会社の中でシェアハウス事業に参入していない企業はないといってもいい。当初は住居費の節約のために集まって暮らしていたシェアハウスだが、今では嗜好共同体の役割が強まっている。プレミアムシェアハウスが続々と発売され、その中で似た者同士が交流する文化も強化された。入居者の高級コミュニティを強調するシェアハウスやホテル式のサービスをするというレジデンスも、財力という障壁があるため誰でもが入れる住環境ではない。

新型コロナウイルスによって私たちは非常に特異な経験をした。韓国の全国民がソーシャルディスタンスを実行するなど、かつてあっただろうか？　外部と断絶したまま自分だけの時間をもつこと自体が難しかった韓国社会である。私たちはあまりに多忙で、しがらみも多かった。そこに、新型コロナウイルスによって全国民が社会的隔離やソーシャルディスタンスを経験した。不便さもあったが、自発的孤立化によって自分に集中する機会を得た。この経験が私たちに新しい欲求を抱かせる。すでに存在していたものの非主流だった欲求、それこそが自発的孤立化だ。

筆者は『ライフトレンド２０１８』で「ウォールドニズム（Waldenism）：自分だけのウォールデンを求める人々」というトレンドを紹介した。「ウォールドニズム」という単語は、『ウォールデン　森の生活』（Walden, 1854）という本に由来する。

19世紀アメリカの有名な哲学者であり作家でもあるヘンリー・デイヴィッド・ソロー（Henry David Thoreau）は、1845年から1847年までの2年2カ月間、世間との関係を絶ち、米マサチューセッツ州コンコードにあるウォールデン池のほとりに小さな丸太小屋を建てて暮らした。一種の「人生のための実験」であり、世の中に対する抵抗でもあった。この時の記録をエッセイとして記したのが彼の代表作『ウォールデン　森の生活』である。

ソローは森の中の丸太小屋で一人、簡素で自然主義的な生活を実践した。本を読み学んだり、散歩や水泳をしたり、友人を迎えたり、思考しながら過ごした。だからといって遊んでばかりいたのではない。自ら家を建て、じゃがいもやトウモロコシ、えんどう豆といった食糧も栽培した。金が必要な時は大工や力仕事をして稼いだ。年間6週間働いて1年間の生計に必要な金を得れば、残りの時間は思いのまま自由に暮らせる。何にも邪魔されず、自分がしたいことに集中するために、自らウォールデン池のほとりでの孤立を選択したのだ。

彼のこうした選択は、物質万能主義や物欲、人間社会が築いた慣習や因習に対する抵抗でもあった。ソローはハーバード大学を卒業し、家業の鉛筆製造業をはじめ、教師、測量などの仕事にも従事したが、生涯定職には就かず、自分の望む学問だけに邁進した。ウォールデン池の森に入った理由も、慎重な人生を営むため、本質的な事実だけを直視するため、死ぬ瞬間に後悔しないためだという。

どう生きればよいのかということに正解は存在しない。しかし、どんな答えを出すにしても、自らが選択する必要はある。コンタクト社会における自発的孤立化は、変わり者や非主流の選択だったが、アンコンタクト社会では違う。普遍的な主流の選択になり得る。他人との関係を最小化することで、反対に自分自身への集中により多くの時間を割けるようになるからだ。

5都2村というスタイルも広がる。5都2村とは、1週間のうち5日は都市で、2日は田舎で暮らすという意味だ。週休2日制が一般化しているため、5都2村は多くの人にとって実践可能な現実になった。もう少し自由に働ける人なら、4都3村まで実践している。逆に、4村3都にしてもよい。

これは暮らしの態度に対する明らかな変化だ。都市での生活は金を稼いで仕事をするには効率的だ。便利さの面でも都市は優位である。都市の暮らしを減らし、田舎での暮らしを増やすことは、これまで社会が暗黙のうちに植え付けてきた、金を稼いで社会的な成功を目指す人生のありかたに損害を与えるかもしれない。

興味深いのは大都市で多くを手に入れた人々、いわゆる「江南《カンナム》の人」と呼ばれるマンションで生まれ育ち、地価やマンション価格の高騰で大儲けした人々までもが5都2村や田園の週末住宅に大きな関心を寄せているという点である。コンクリートの森での暮らしは富を生むことはできても人生の全てではないという発想は、間違いなく物質万能主義が強まっていた韓国に生まれた新たな態度だ。

さらに、ネットワーク技術が進化したので田舎にいても在宅勤務をすれば都会に住むのと変わらない。技術が変えた自発的孤立化というわけだ。職場における働き方や組織文化の革新は、私たちの住文化や共同体文化に影響を与える。デジタルノマドの拡散、ロケーション・インディペンデントが主流になる未来はすでに始まっている。

あえて遠くに行く必要はない。自発的孤立は都市でも十分に可能だ。そのために自宅の模様替えをする人が増えた。ホームファニシングブームが起き、誰もがより魅力的な部屋作りに積極的に投資している。ホテルのようにしたり、ホームシアターを作ったりすることもある。財力ではなく選択の問題だ。

ブランドバッグや外車には誇示的な傾向があるが、部屋作りは誇示というより自己満足のためのものである。住空間への投資は日常の満足度を高め、自己のための投資になる。ホームファニシングブームがトレンドになった背景は、単なる部屋作りではなく「関係」だ。私たちは、中心を「他人との関係」から「自分」に移し、自分自身に一層集中する文化への移行を望んでいるのだ。

自宅で休暇を過ごすことを「ホームカンス」(Home+Vacance)と言う。「バンコク〔訳者注:部屋「バン」で、じっと「コク」引きこもること〕」をホームカンスに言い換えただけではない。自宅で過ごす休暇に対する見方と態度が変わったのだ。お金がなく行くところがないから行かないのではない。お金もあって行くところもあるのに自宅をバカンスの地に選んだのは、自宅を自分にとって最も居心地のよい空間に作り上げたからだ。

厳しい現実から脱出して、自分だけの安息の地である自宅に止まることをホームスケープ(Home+Escape)と言う。ホームカンスやホームスケープが増えたのは、家に対する態度や休息に対する認識に変化が生まれたからである。

現実の中で周囲の人と活発に直接的関係を結びながら生きてきた時代とは異なり、人間関係によるストレスが増え、一人の時間が好まれるようになった現在だ。こうした人々にとっては、一人だけの空間が最高のバカンス先である。ヨガや瞑想、思索もバカンスの方法として好まれるほどだ。

自分だけのアジトを作る人も増えた。最近は、街の書店やカフェ、ブックカフェなどを、アジトを作るという意味で始める人が多い。自身の志向を誇示し、人々とも交わるためだ。もちろん本業は別にある。これは一種の「都心のウォールデン」だ。孤立した山奥ではなく、都市で人々と時間を共にしつつ自分に集中する時間をもつのだ。これらは全て他人との関係に対する変化によって生まれたものである。無条件の連結から好意的で選択的な連結へ、そして選択的な断絶を経て無条件の断絶につながるのだとすれば、私たちは今、選択的な断絶の時代を切り開いている。まさにアンコンタクト社会の本格的なスタートである。

すでに変化は始まっている

筆者が執筆したアニュアルトレンドの展望書『ライフトレンド』シリーズは、2013年バージョンを皮切りに2020年バージョンまで8冊出版されている。ライフトレンドでは、私たちの生活の基本となる衣食住をはじめとしたライフスタイルや、社会的・文化的変化を重点的に扱う。これを通じて、その社会のもつ変化の方向とそれによる消費やビジネスの流れ、そして人々の欲求を分析するのだ。

2020年バージョンのタイトル『ライフトレンド2020：弱い絆』からも分かるように、2020年に最も注目されるライフトレンドイシューは、「弱い絆」（Weak Ties）だった。家族や職場、人脈に代表される3つの強い絆の領域が弱まりつつある状況が、ライフスタイルや消費、価値観、欲求にどのような変化を与えるかを扱っている。関係の変化がもたらすパラダイムの変化だ。図らずも新型コロナウイルスによって弱い絆トレンドはさらに増幅している。

現在の私たちは血縁中心の家族ではない、様々な社会的関係を結んで生きている。以前よりも幅広い人々とつながり、交流することが可能になった。ソーシャルネットワークが国を越えて友人を作ることすら容易にしている。同じ国の同じ地域にいる人々とのつながりは言わずもがなだ。ソーシャルネットワークでは誰でも簡単につながることができ、そのつながりは現実の社会におけるつながりへと発展する。

「弱い絆」という言葉は、ソーシャルネットワークの拡散によって生まれた言葉だ。しかし、最初のうちはソーシャルネットワークを通じたつながりのみに限定されていた。現実世界でのつながりや実際の社会的関係とは違い、ソーシャルネットワーク上ではたった一度のクリックで友人になり、誰にでも話しかけられるようになり、関係におけるフラット化が進んだ。そして友人になるのも簡単だったように、断絶も簡単にできるようになった。

自分を中心としたコミュニケーションや関係作りであるため、現実世界とは違って一方的でも無理はなく、一時的・単発であっても構わない。こうしてソーシャルネットワークが私たちに弱い絆を経験させたのだ。ソーシャルネットワークでのみ通用していたコードが、いまや現実世界に移ってきている。ライフトレンドとして弱い絆を重視せざるを得ない状況になった。


私たちがこれまで強い絆と信じて疑わなかった代表的な三つが家族、職場、人脈だ。この三つは生涯にわたって最も大きな影響を与え、自分がどんな人間なのかを定義するものである。結婚や出産によって血縁で結ばれた家族こそ深い絆の結晶であった。家父長的な家族観によって家柄が作られており、親戚とのつながりも深かった。しかし、世の中は変わった。もはや結婚や出産は必須ではなく、独身や自発的孤立も一般的に受け入れられ始めている。制度としての結婚を捨て、同棲や非婚といった選択も拡大した。

結婚や出産の変化は、家族観だけでなく親戚や血縁との関係にも変化をもたらした。名節《ミョンジョル》〔訳者注：旧正月と、日本のお盆にあたる「秋夕《チュソク》」のことを指す〕も衰退する文化の一つだ。家族や親戚が集まって先祖を祀り、一緒に茶礼《チャレ》〔訳者注：名節の朝に先祖を迎えるための儀式〕を行い、互いの情を深めてきた文化はもはや廃れた。名節のたびに仁川空港の利用客が過去最高値を更新するほど、多くの人々が名節に海外旅行をするようになっている。

なぜ名節に故郷や親元へ行かず海外旅行に出かけるのか？　これ自体が名節の権威、親戚や故郷がもつ権威の没落を端的に示している。特に20〜30代の会社員では名節の代わりに旅行を選択する人が多い。名節という伝統文化や家族・親戚との交流よりも私生活が重要になったことで生じた変化だ。名節に故郷に帰り親戚に会ったところで、小言を聞かされるばかりで気分が悪いからということもある。時代は変わっても名節に対する態度が旧時代的な人々が、今の20〜30代の名節に対する忌避や回避の原因を作っているのだ。これも突如として現れた変化ではなく、長い間かけて深まってきたものである。

職場は終身雇用という名のもとに家族のような絆を作った。昼食を共に摂り、夕食は会食を兼ねていた。食事を共にする回数で言えば、職場の同僚の方が本物の家族より多かった。家庭を疎かにしながら職場に忠誠を尽くし、職場こそが自分の人生の全てだと考えていた終身雇用当時の文化はいまや衰退している。

韓国の組織文化にも能力主義、平等主義が広がった。給与の等級をなくし、年俸評価も役割や能力を中心に決める傾向にある。定期採用をなくし、随時採用に切り変える企業が続々と増えている。年功序列、先輩・後輩関係も当然変わった。絆の代わりに効率性と合理性が定着している。在宅勤務や平等主義的な組織文化、アジャイルプロセス〔訳者注：仕様の変更に対してすばやく柔軟に対応する手法〕が一層適用されやすくなるのだ。これまでの職場文化に慣れ親しんだ人々の抵抗によって牛歩状態だっただけで、こうした変化は以前から試みられていた。突如として現れた変化要求ではない。

人脈を重視する韓国社会では血縁、学縁、地縁を中心とし、職場でも軍隊でも、年次によって人脈の中の序列を決めていた。家族や職場、人脈は、この上なく濃密な関係だ。だがいまや同窓会も力を失いつつあり、地域基盤も脆弱になった。ただ自分が生まれた地域だとか、苗字だとか、自分が通った学校だと言ってそれを利害関係の軸にしようとはしない。かつてはこうした人脈の絡みで政治・経済・社会的なカルテルが作られることが多かった。

こうした絆に違和感をおぼえる人が増えたのは、時代が変化したためである。集団主義的文化が衰退し、個人主義的文化が台頭した。こうした時代において私たちが弱い絆を語るのは、変化した欲求のためだ。一人で暮らす時代だからこそ新たな連帯が必要になった。孤立して寂しい思いをしたくないのではなく、一人で暮らすことを基本として、必要な時には他人と適度に付き合いたい。

「一人」と「一緒」の中間地点、すなわち一人だが、たまに一緒になる、お互いにつながることはあるが親密ではない、弱い絆である。こうした欲求を受け入れた人々にとって、他人との関係はもはや過去と同じではない。絆が与える親密さには、互いの利害関係が絡み合い、葛藤もともなう。こうした葛藤やストレスを回避したいという思いが、弱い絆という欲求になって表れた。アンコンタクトを通じて、人間関係で生じる葛藤とストレスを回避しようとする欲求につながったのだ。

当たり前だったことが当たり前でなくなる時、私たちは選択しなければならない。人と人がお互いにつながっている関係がもつメリットは部分的に取り入れるが、そうしたつながりが与える負担や複雑さは減らそうという態度が「弱い絆」を作り出した。集団主義的な観点で見れば多少利己的な態度に見えるが、個人主義的な観点で見れば合理的で効率的な態度だ。そして、これは個々人の選択ではなく社会的選択である。

弱い絆は、家族や恋愛、人々との関係などではなく、職場や組織文化、住環境、不動産や都市などにまで影響を与える重要なトレンドコードである。弱い絆が結婚や出産に及ぼす影響、職業観や職場文化に及ぼす影響、生活文化に及ぼす影響、選挙や政治に及ぼす影響、消費トレンドに及ぼす影響は、私たちが考えるべき課題だ。

弱い絆は強力なメガトレンドとして今後ますます強大な力を発揮するだろう。同じくアンコンタクトトレンドもメガトレンドとして私たちに変化を与えるはずだ。すでに二つのトレンドコードは、同じ方向へと進んでおり、以前から私たちが抱いていた他人との関係や人間関係で経験した問題に対する代案として成長してきた「欲求」であり「必要」だったわけだ。

申し訳なさが消える時代

私たちは、マーケットカーリーをはじめとした複数の業者の深夜配送や、SSGフードマーケットなどが行う当日配送サービスを頻繁に利用している。直接買い物に行くことが大きく減った。いや、ほとんど行くことがなくなったといっても過言ではない。商品も玄関前に置いてもらい、送られてくる配達完了メッセージを確認するだけで配達員と会うこともない。雨や雪が降っていても、台風の日であっても、配達するのが大変そうだと考える余地はない。なぜなら、彼らに直接会わないからだ。届いた商品しか目にしないのだから、人に対する感情そのものが介入しない。

スーパーで購入した品物は以前から配送してもらえたが、受け取りの時には直接人に会っていた。出前も同じだ。必ず人に会って料理を受け取り、代金を支払っていた。しかし、今は注文と同時に決済も終えているので、玄関前に料理を置いていくよう頼んでも構わない。一人暮らしの女性が出前を頼むとき、一人であることを知られたくなくて玄関に男性用の靴を一足置いておくという話にも理由があるのだ。配達員との、ほんの一瞬の接触ですら気にかかるというのである。

かつては近所の飲食店に出前を頼めばいつも同じ配達員が来るので挨拶もしていた。しかし今では、出前アプリの「配達の民族」を使って注文するので、自分が注文した特定の飲食店の従業員が配達に来るわけでもない。クリーニング店の場合も、かつては長きにわたって町内のクリーニング店を利用し、店主と挨拶を交わす間柄になるのが普通だった。だが現在は、「洗濯特攻隊」のようなアプリでクリーニングを依頼すれば、深夜に玄関前に置いた服を回収し、明け方には再び洗濯済みの服を玄関前に置いていってもらえる。

洗濯物を持っていったのが誰で、持ってきたのが誰なのか見かけることもない。担当者が誰だというメッセージは来るが、顔を見たことがないので、まるで架空の存在のように感じられる。

前述した話は誰もが経験していることだ。これまで日常の中で見かけていた業者の人と出くわさずにサービスを受けられる時代になった。もはや申し訳なさや感謝といった感情すら介入せずにサービスを受けられるようになったのである。ただ単に技術が発展したから実現したのではない。アンコンタクトは、私たちの変化した欲求の産物だ。他人との関係ストレスがアンコンタクトの欲求を育てたのである。

私たちが日常で接する人々の多くがすれ違うだけの存在だ。家族はだんだんと減っていき、職場の同僚との関係も以前とは異なり、人脈も変わってきている。持続的な関係をもつ人よりも、カフェやレストランで出くわす従業員をはじめとしたサービス業従事者との関係の方が多い。出前やクリーニングを頼むにしろ、スポーツセンターや病院、銀行、ホテル、ガソリンスタンドに行くにしろ、そこでは人々とすれ違う。こうした関係に感情は介入しない。明確なサービスを介した関係には葛藤も、期待も、深みもない。かつてはこうした関係性の相手とも親交があった。常連になり、友人になることもあった。

だが現在は、こうしたサービスにおいてアンコンタクトを受け入れている。レストランに行っても人ではなく端末機を相手に注文や決済をする。コーヒーやハンバーガーを買いに行くときも、全てスマートフォンのアプリで注文や決済を済ませる。こうした変化は私たちに技術的便利さを与えるだけではない。人と直接言葉を交わす機会を減少させたのだ。

言葉を交わせば感情が介入する余地が生まれる。たった一言で気分がよくなったり、気分を害したりする。アンコンタクト技術は、はなから感情が介入する余地をなくしてくれたのだ。サービスを受けるにあたって、申し訳なさを感じるのは面倒だ。感謝の感情とは異なり、申し訳なさはむしろサービスに対する満足度を下げる。自分が受けるサービスのために相手が苦労していると思えば、申し訳なさを感じる。こうした感情は、消費者にとってもサービス提供者にとっても利にならない。

サービス業において、「お客様は王様だ」と言っていた時代がある。過剰な親切とサービスを生んだこの言葉はもはや通用しない。「お客様は王様だ」(der Kunde ist König) という言葉はザ・リッツ・カールトン・ホテルを創設したセザール・リッツ (César Ritz, 1850~1918) の言葉として知られている。フランスとイギリスでホテル事業を展開していた彼は、「お客様は常に正しい」(Le client n'a jamais tort) というスローガンを掲げた。しかし、セザール・リッツがホテル業界で働いていたのは19世紀後半から20世紀初めのことである。当時は本物の王族と貴族が主な顧客だった。お客様を王様のように扱うという意味は、現代とは少し違うのだ。

「お客様は王様だ」という言葉を真摯に受け止め広めたのは日本だと推測される。商業が発達した日本において、特有の親切さを盛り込み、客を王様のようにもてなし祭り上げたサービス文化が韓国にも伝わり、お客様は王様だというのが、まるで真理であるかのように広まった。もちろん英語にも「The customer is always right」といった言葉はあるが、これは韓国のように客がカスハラをしても許されるという意味ではない。

いずれにしても、世界の中で顧客サービスが最も優れている国と言えば、日本と韓国が断然のトップだろう。いまだにお客様は王様だという旧時代的な主張をしている韓国人も多い。最近ようやく韓国社会でも認識されるようになってきた「過剰ではない適正なサービス」というのは、すでにグローバル社会では当たり前になっている。

サービスを売る人も買う人も互いに必要としあっている。片方だけが一方的に必要なのではない。むしろ過剰なサービスを重たいと感じる人も多い。王様扱いは感情的な負担になるので嫌だというのだ。

これはサービスを受ける側だけの問題ではない。提供する側にとってはさらに深刻な問題だ。すでに感情労働者〔訳者注：主にサービス業など、頭脳や肉体だけでなく、感情の抑制・管理などが業務上必要不可欠とされる職種〕が受ける深刻なストレスについては社会的にも論じられるようになり、解消しようという方向にも動いている。こうした負担においてもアンコンタクトは解決策の一つになるだろう。人との対面や接触を最小化し、サービスを受ける側が抱く心理的負担や申し訳なさを減らすのだ。サービス業において最も重要とされていた「人」を、これまではないがしろにしていた。

韓国語で「ごめんなさい」を意味する「ミアナダ」とは、「他人に対して心が穏やかでいられず、恥ずかしい」という意味だ。英語にすれば、「sorry（情けない、面目ない）」「uneasy, uncomfortable（気まずい）」「regret（悔やまれる）」といった意味である。このように、ミアナダは負の感情なのだ。習慣的に「ごめん」を乱発する人に真剣さを感じないのもこうした理由からであろう。

私たちは本当に自分の過ちを認め、恥じて悔やんだときにだけ謝るのではない。単純に気まずかったり、もめそうになったりした時に、「ごめん」の一言でこれを回避しようとすることも多い。持続的関係を結ぶ間柄では、感謝や申し訳なさを感じたり、衝突したりする中で感情を蓄積していく。

共に歩んでいく関係では、こうした感情や葛藤を通してより深い関係を築き、相手への理解の幅を広げていくのだ。しかし、サービスを介した一時的な関係の相手に対する感情の変化や葛藤は望まない。申し訳なさ自体が負担になるのである。

アンコンタクトは、サービスを受けるにあたって申し訳なさを感じないようにするためにも効果的だ。申し訳なさが消える時代、ひいては申し訳ないという状況そのものが減る時代である。こうした時代を生きる人々の他人に対する態度はどう変わるのだろうか？　そして、こうした時代を生きる私たちの共同体に対する態度はどう変わるだろうか？

感情の変化や葛藤を望まない人々のためにアンコンタクトがますます拡大していく時代、人間関係も当然過去とは変わってくる。アンコンタクト社会での人間関係の結び方は、間違いなく古い世代と新しい世代との差として表れるだろう。厳密に言えば世代間の差というよりも、変化した時代に適応した人と馴染みのある過去の方式に固執する人との差と言ったほうが正しい。

新たな差別が生まれる

アンコンタクトによる疎外と差別を指す「アンコンタクト・ディバイド」(Uncontact Divide)の問題はすでに数年前から提起されている。ハンバーガー一つとっても、人ではなく自動券売機で注文を受け、銀行業務も全てスマートフォンのアプリで処理し、駐車場ではもはや人による駐車料金の回収を目にすることもなくなった、現金すら受け取らずカードのみに対応している駐車場も多い。

自動券売機を使うのが苦手だったり、スマートフォンがなかったり、あっても扱いに不慣れだったり、カードやデジタル口座を持たない人たちには、ハンバーガー一つ食べるのさえ難しく、駐車場の利用も難しい時代である。人による注文や会計がなくて便利だと思う人であれば、便利の裏に隠れた疎外された人々の不便を想像すらできないだろう。

アンコンタクトの技術やサービスに適応できない人々が感じる不便さと疎外感を指す「アンコンタクト・ディバイド」は、厳密に言うとデジタル・ディバイド(Digital Divide)の一要素である。なぜなら、アンコンタクトに変換されたサービスは、全てIT技術に関連しているからだ。技術的進化がアンコンタクトを全方位で可能にしたわけだから、デジタル・ディバイドを感じる人はアンコンタクト・ディバイドも感じることになる。要するに二重苦だ。

コロナ禍で薬局にマスクを買いに行くにしても、スマートフォンのアプリでどの薬局に在庫があるかをリアルタイムで確認してから行く人と、ただ無計画に行く人とでは、当然チャンスに差が生まれる。

マスク以外の買い物でも同様だ。深夜配送や当日配送といった便利な配送サービスを利用する人であれば、新型コロナウイルスによるソーシャルディスタンスも容易に守れるが、店頭での買い物しかできない人であれば、相対的にリスクを負わざるを得ない。

科学技術情報通信部の傘下にある韓国情報化振興院の「2019年のインターネット利用実態調査」によると、インターネットショッピングの利用比率は20代で96・9%、30代では92・4%であるのに対し、60代は20・8%、70代以上では15・4%にすぎなかった。

情報通信政策研究院の「デジタル・ディバイドの実態」報告書（2019・11）によれば、2018年時点で60代のスマートフォン保有率は79・1%、70代以上は35・0%である。つまり高齢者の場合、スマートフォン自体は持っていてもインターネットショッピングをする割合は極めて低い。ポータルニュースを見たり、ユーチューブを見たり、カカオトークのメッセージをやり取りするレベルに止まっており、アプリのインストールや決済などは考えも及ばない。実際に65歳以上のスマートフォンユーザーのうち、アプリのインストール・削除・アップデートができる人の割合は7・5%にすぎない。

パソコンの活用能力についても、65歳以上のうちオンラインショッピングやインターネット予約ができる人の割合は6・5%、インターネットバンキングが使える人の割合は7・0%だった。10~40代の誰もが日常の中で当たり前に行っていることも、高齢者にとってはハードルが高い。10歳未満の子どもより高齢者のデジタル活用力は低いのだ。

年齢・序列文化に慣れ親しみ、家父長的な思考を持ち続けている高齢者は、現代における自分たちの社会的能力が子どもたちより劣るという事実をどう受け止めるだろうか？　ただでさえ、社会的な弱者として経済的機会や活動面で制約を受けているというのに、デジタル・ディバイドやアンコンタクト・ディバイドまでのしかかり、一層疎外され差別される。こうした事実を前にした高齢者が、集団的な声と有権者としての政治的影響力をどの方向に向けるのか、憂慮される。誰でも自分を守ろうと努めるものだ。それは当然である。

社会的弱者になり、疎外され差別される状況に陥ったことのない人でも、高齢者になれば否応なくその状況に陥る可能性が高まる。新たな技術やデバイス、トレンドをうまく取り入れ適応する高齢者もいるだろうが、その数は決して多くない。

韓国情報化振興院の「2019年のデジタル情報格差実態調査」によれば、一般的な国民と対比したときの脆弱階層のデジタル情報化水準は69・9%である。一般的な国民の基本的なデジタル機器の利用・活用能力と比べても7割程度にすぎないというわけだが、10、20、30代をはじめとしたデジタルの先導的階層とであれば比較自体ができないほどの水準だろう。このうち高齢者は一般国民対比64・3%と最も脆弱で、農漁業従事者は70・6%、障がい者は75・2

%、低所得者層は87・8%であった。高齢者と農漁業従事者は相対的に平均年齢が高い。すなわち、高齢者が感じるアンコンタクト社会における疎外や差別、不便は大きくなるというわけだ。

行政安全部が発表した住民登録人口統計によると、2019年末現在の65歳以上の人口は全人口の15・5%にあたる約803万人である。統計庁の2018年農林漁業調査結果によれば、2018年12月現在の農業人口は231万人だった。このうち65歳以上の割合は44・7%である。韓国全体における65歳以上の割合は15・5%だが、農漁村ではその3倍なのだ。65歳ではなく、60歳以上で算出すれば58・0%になる。

情報をもつ人とそうでない人の格差やデジタル時代の格差を意味する「デジタル・ディバイド」という言葉は、『ニューヨーク・タイムズ』のゲイリー・アンドリュー・プール(Gary Andrew Poole)が1995年に初めて使ったと言われている(ただし、異論もある)。1995年7月にはアメリカ商務省の政策報告書でもデジタル・ディバイドに言及しているが、この用語が一般化するのは1999年からだ。それ以後は世界中に広まっている。

韓国でも情報格差の解消に関する法律が2001年に制定されている。つまり、韓国社会がデジタル・ディバイド問題を本格的に提起したのは20年前だ。

現在のデジタル技術・情報化のレベルが20年前よりもはるかに進んでいることを思えば、私たちは当時の問題意識を超えた時代を生きていることになる。デジタル・ディバイドとはIT

機器を扱えるか否かという単純な問題ではなく、ITが経済・産業・社会・文化を掌握した現代において、社会生活や経済活動を行えるか否かという問題にもなり得るのだ。だからこそ、こうした格差を解消する方策を立て、脆弱階層を支援した。しかし、インターネットの普及率やスマートフォンの使用率などはほぼ100％に近いほど高まっても、障がい者や高齢者、農漁業従事者、低所得者層といった主たる脆弱階層のデジタル・ディバイドは依然として変わっていない。

到底ついてこられない人たちも一定数存在するので、むやみについて来いとも言えない。キャッシュレス社会を目指すスウェーデンでも、アンコンタクト・ディバイドの問題のため、現金を扱う銀行の店舗やATM機器を再度増やしているところだ。ヨーロッパ諸国でもこの問題は議論され、キャッシュレス社会が与えるアンコンタクト・ディバイドへの懸念から、キャッシュレス社会の実現スピードが調整されている。

そうは言っても、あらゆる場所で現金を使い、店員に声をかけて注文すれば済んでいた過去とは比較にならないほどアンコンタクト化が進んでいる。絶対多数にとっては、こうした進化は便利である。それゆえ過去に戻そうとは言えない。国家の役割としてデジタル・ディバイドやアンコンタクト・ディバイドを減らすための法や制度は作るだろうが、それも最小限の配慮でしかない。すでに産業と社会構造がアンコンタクトに転換している時代だ。不自由なく生きていくためには、変化した時代に適応するしかない。そうできない人々が感じるアンコンタクト・ディバイドは、今の社会に与えられた重要な課題である。

新型コロナウイルスによってアンコンタクト社会への転換が急速に進んでいる。社会的な転換のスピードに比べれば、アンコンタクト・ディバイドを感じる人への配慮や支援は遅く、制限的になる。当面は高齢者本人の子どもたちがある程度面倒を見てくれるだろう。親に代わってマスクを買ったり、オンラインショッピングの注文をしたりするのだ。しかし個人的に解決するには限界がある。国家が社会的制度としてこれを解決しなければならない。ここに予算を投入するための社会的な合意も必要だ。

アンコンタクト・ディバイドと同様に、アンコンタクトがもたらす雇用の減少も重要な問題だ。ETCの利用者が増えるほど、高速道路の料金所にいる料金回収員の立場が危うくなるというのは残念ながら現実だ。スーパーに行って買い物をする人が減り、オンラインショッピングをする人が増えるほど、レジ係の立場も危うくなる。全てのサービス業にアンコンタクトが広がれば、こうした雇用の危機に見舞われる人が増えていく。

コンタクト社会に基づいた雇用が、アンコンタクト社会への転換後にどう再配置されていくのかということも重要な社会問題である。こうした問題への対応が不十分だと、共同体内における不必要な葛藤も深まる。

誰かにとってチャンスになる変化は、誰かにとっては危機になる。チャンスの側にいる人と危機の側にいる人が対決するわけではないが、現実問題として両者の間に葛藤が生じる可能性はある。情報を持つ者と持たざる者との格差が深刻な危機を生んだように、アンコンタクト環境に適応した者とそうでない者との格差も危機となる。このような危機は特定の地域にだけある自分と関係のない問題ではなく、私たちが属している共同体の中に存在する私たちの問題なのである。

宗教家はユーチューバーを目指す？

聖堂や寺院、教会は、ミサ、法会、礼拝など、それぞれ呼び名や形式は違えど、多くの人々が一つの空間に集まって宗教活動をするという点では同じだ。

新型コロナウイルスが拡散する中で、最初に感染が広がり、ヨーロッパの拠点になったのはイタリアである。中東地域ではイランで最初に感染が拡大した。韓国は中国との地理的な近さというよりも、新天地〔訳者注：韓国の新興宗教団体で、正式名称は「新天地イエス教証しの幕屋聖殿」〕での集団感染がコロナ拡散において重要な基点になった。世界中がつながっている時代だ。中国とつながっていない国などない。中国の華僑が住んでいない場所も、中国人観光客がいないところも存在しない。

ところで、なぜイタリア、イラン、韓国は当初から感染拡大の中心になったのか？　これら三つの国の共通点とは何だろう？　伝染病の拡散に重要な役割を果たしたもの、それこそが宗教だった。イタリアは１９８４年までローマカトリック教会を公式の国教と定めていた。現在も人口の85％程度がローマカトリックである。イランの正式国名は「イラン・イスラム共和国」だ。国名からも分かるように、全国民に占めるイスラム教徒の割合は99・４％（２０１１年時点）である。両国の国民の大半が特定の宗教をもっていた。韓国は前述した二つの国とは異なり、宗教をもたない人が56・１％（韓国統計庁人口住宅総調査、２０１５年時点）に上るが、密集礼拝を行っていた閉鎖的な新天地の集会が病気を広めている。

韓国では新天地、イタリアでは聖堂、イランではイスラム寺院が伝染病の拡散の一因となったと考えられる。もちろん、１００％断定することはできない。とはいえ、集団的に密集した空間で行う宗教集会がウイルス性の伝染病に脆弱なのは明らかだ。そのため、感染が拡大している国の聖堂や教会、寺院といった宗教施設では、自主的に閉鎖措置を選択するところが増えた。

韓国でも、カトリックが伝えられてから２３６年の歴史上初めて、2月末から全国の全ての聖堂のミサが中止され、その期間は状況を見ながら延長された。韓国カトリックには、２０１９年末現在、１７４７の聖堂と約５８６万人の信者がいる。仏教界でも同時期に日曜日の法会と行事を中止し、曹渓宗をはじめとした韓国仏教における主要な30宗派の寺院１万５０００カ所余りがこれに賛同した。キリスト教界でも大規模教会を中心として礼拝をオンラインに切り替えている。

宗教では礼拝、ミサ、法会といった、集って行う宗教典礼を重視しており、これを絶対に破ってはならない原則のように考えている人もいる。しかし、新型コロナウイルスによってその原則も破られた。教会に直接出向いて参加する主日礼拝の代わりに自宅でオンライン礼拝を行うようになった。スマートフォンで礼拝を視聴することすらある。

大規模教会のような独自のオンライン礼拝システムをもたない小規模教会では、ユーチューブやアフリカTVでも礼拝を行った。教会という空間でなくてもよいという経験をしたのだ。説教者の権威が最も高まる状況こそ集団的宗教行事である。全ての宗教が集団的な密集行事を行うのもこのためだ。

宗教が始まって以来、いや、人類が集団生活を始め、共同体を作り始めた時から、集団的な密集行事は群れを導く指導者の権威を高め、共同体を連合させる上で最も効果的な方式だった。いくら最先端の時代、ネットワークの連結で何でもできる時代になっても、宗教は絶対的にオフライン基盤で行われ、オンラインは脇役にすぎなかった。技術的変化を積極的に反映する必要がないのが宗教だった。しかし、新型コロナウイルスはこうした状況まで変えてしまった。

韓国キリスト教牧会者協議会が2020年2月24〜25日に実施した世論調査の結果は興味深かった。当時はコロナが急速に広まり、様々な宗教でミサや法会、礼拝中止の動きが起こり、人々のコロナに対する不安が増していた時期でもある。調査結果によると、日頃から主日礼拝に出席しているという信者のうち57％が2月23日日曜日の主日礼拝には出席していないと答えた。出席しなかった人のうち、62％はオンライン礼拝や他の場所で行う一人での礼拝という方法をとっていたが、38％は全く主日礼拝を行わなかったという。

普段から礼拝に参加している人でも、3分の1程度は空間が与える強制性がなくなれば礼拝自体への忠誠度が下がるということだろう。これがオンラインへの転換をためらう第一の理由だ。オフライン礼拝の参加者がそのままオンライン礼拝に移行するわけではないのだ。もちろん、オフラインに比べてオンラインの礼拝では献金が減るというのも一つの理由になる。決済手段が十分にあってもオンラインで行えば献金が減ることが予想されるなか、既存のシステムからオンラインに切り替えるための費用や労力をかけるはずがない。

教会信徒の高齢化もオンライン礼拝に消極的な理由として作用する。コンタクト環境に慣れた高齢者は、アンコンタクトの教会環境に抵抗を感じる可能性があり、不便さもおぼえるはずだ。調査内容を詳しく見ると、オンライン礼拝を行ったという信者のうち57％は自分が所属する教会のオンライン礼拝を、22％は独自に家庭礼拝を、15％は自分が所属していない別の教会のオンライン礼拝を、さらに12％はQT〔訳者注：一人で静かに礼拝すること〕を行っている。これこそが一番決定的な問題だ。

オフライン礼拝を行わなければ自身が所属する教会に対する忠誠度が落ちる。そうなれば献金収入に直接的な打撃を与えるため、教会としてはオフライン礼拝を固守せざるを得ないのだ。こうした変化は、教会を見る視点によってチャンスととらえることもできるし、危機ととらえることもできる。前述の調査は新型コロナウイルスが与えた一時的な影響を調べたものだが、オンライン礼拝をはじめ、宗教活動におけるオフラインの影響力が弱まった時代では、この問題がさらに大きくなるだろう。アンコンタクト社会への転換が宗教だけを例外にするということはないからだ。

もし宗教がアンコンタクトを受け入れたらどうなるだろうか？　そうなっても、神父や牧師、僧侶がユーチューバーになるわけではない。オンライン中心の宗教が登場し新たな信者を取り込むのは明らかで、既存の宗教人も間違いなく時代の変化に応じたコンテンツを作るだろうが、宗教がエンターテインメントになることはないだろう。人気ユーチューバーのように宗教人がユニークで面白い礼拝や説教をする可能性はあるが、それは一部の現象にすぎず、主流やトレンドにはならない。

その答えは本書ではなく、宗教自身が見つけなければならない。これまでにない様々な試みを経て、試行錯誤が与える進化の答えを見出すべく投資する必要がある。オフライン基盤の「空間中心」や「宗教指導者中心」から脱した答えを求める可能性が非常に高い。

宗教がオフライン空間を拠点に運営されてきたのは、時代的に時間や空間の制約があったからであり、宗教活動の原則も過去の慣習に則っていたためである。変化は止められない。しばらく遅らせることはできても、流れを変えることは難しいのだ。そして、変化のスピードも過去より速まっている。人類が数千年間かけて経験した変化より、この100年間に経験した変化の幅の方が大きい。その中でもこの数十年はさらに大きくなっている。

新型コロナウイルスは現代を生きる人々に特別な経験と恐怖を与えた。世界中で起きている金融市場のパニックを、アメリカから始まった世界恐慌（1929〜1939）にたとえたり、韓国社会ではIMFによる救済にたとえたりしている。私たちが知っている限りのありとあらゆる経済危機を当てはめるだけの深刻な経済危機を迎えているからだ。伝染病が収束しても、生産と消費の低迷や損失の修復にはかなり長い時間がかかる可能性がある。これは企業だけではなく、私たち全員に当てはまる話だ。

雇用の危機であり、所得の危機、老後の危機、政治の危機など、全方位的な危機である。そして、新型コロナウイルス以降も伝染病の危機は続くだろう。より頻繁にウイルス性伝染病が発生する上に、世界は以前よりずっと密につながっており、大多数が密集した都市に住んでいるからだ。

こうした時代において宗教は、一層重要な役割を果たす可能性がある。間違いなくチャンスと見ることもできる。しかし、宗教がそのチャンスを生かせなければ、人々が抱いている危機感、不安感、恐怖心を解決する他の領域が出てくることになる。おそらくIT業界がその役割を果たすことになるだろう。

日常の不透明性や不安定性を解消するにあたって、ＩＴ技術が与える明確さに勝るものはない。だがこれはアンコンタクトを深める方向になる。宗教としては、望まなくても変化しなければならない。社会が望み、人々が望んでいるからだ。そして、宗教自体が変化の中で生き残るためである。


14世紀にヨーロッパを死に追いやったペストは、中央アジアの乾燥した平原地帯で発生した。これがシルクロードに沿って移動し、クリミア半島（ウクライナ）まで到着し、そこから貿易船を通じて地中海に流入して、ヨーロッパ全域に広まった。シルクロードや海運網といった国際貿易や国際的な交流がペストを広めた背景と言える。

今とは比べ物にならないほど限定的なグローバルネットワークだったが、ペストを広めるには十分だった。当時、約4億５０００万人だった全世界の人口は、ペスト以降3億５０００万人程度になっている。ペストで1億人ほどが犠牲となっており、ヨーロッパに限れば半分近くが死亡したといっても過言ではない。

ペストを経験した人々は、病気が収束しても何事もなかったように生きることはできず、様々な技術的・社会的変化を生みだした。芸術の復興や革新、人間中心の観点が拡散したルネサンスもその一環と見ることができる。図らずもルネサンスは14世紀から始まっているのだ。イタリアが貿易で経済成長と都市化を成し遂げたのを筆頭に、ドイツで発達した印刷術が学問や芸術、科学技術情報をヨーロッパ全域に広め、ヨーロッパ全体がルネサンスの変化を受け入れた。14世紀に始まり16世紀まで続いたルネサンス以降、宗教改革は16世紀に始まり17世紀まで続いた。

ペストとルネサンス、宗教改革は一連の流れとも言える。いずれも人類が社会的進化をする過程で経験した重要な変数だ。こうした変数は過去のものではない。新型コロナウイルス自体は、ペストに比肩する変数ではない。しかし、現代は気候変化の危機、伝染病が与える危機、さらには産業的進化やIT技術が起こす社会の変化が相まって宗教に影響を与えている。その影響が行きつく先はアンコンタクトだ。

コンタクト時代の宗教は、指導者の権威を中心として強化された。礼拝や説教のための空間は、座席の配置から見てもリーダーを中心として一方向になっている。フラットな関係ではない垂直的な関係であり、一方的な権威が作られやすい構造である。だがアンコンタクト時代の宗教では、相互関係、フラットな関係が必要になるはずだ。一方的な権威ではない、信頼による尊重がより重要になるのだ。従来の宗教の方式にとって、これは間違いなくデメリットになる。しかし乗り越えなければならない課題だ。今すぐではなくとも、間違いなく進むべき方向だからだ。

それでも私たちは社会的動物だ

古代ギリシャの哲学者アリストテレス（Aristoteles, B.C.384〜322）が人間について語った言葉を「社会的動物」だと記憶している人が多い。だがアリストテレスが語ったのは、人間は「政治的動物」（zoon politikon）だという言葉だ。ギリシャ語で書かれたアリストテレスの著書を、ローマ時代の哲学者でネロ皇帝の師匠であるセネカ（Lucius Annaeus Seneca, B.C.4〜A.D.65）がラテン語に翻訳する過程で、「政治的動物」を「社会的動物」（animal socialis）にしたというのが関連学界の見解だ。もちろん、アリストテレスが言った政治的動物というのも、人間が共同目的のために集団で集まり、互いに協力し、競争や組織的闘争もするという意味で考えれば、社会的動物と大きくは違わない。

「人間は社会的動物だ」と言ったのはオランダの哲学者スピノザ（Baruch Spinoza, 1632〜1677）である。20世紀最高の哲学者の一人に数えられるフランスのジル・ドゥルーズ（Gilles Deleuze, 1925〜1995）が、まるで哲学者たちのキリストや哲学の王子かのように表現したスピノザは、西洋哲学においてそれほどに大きな影響力をもつ哲学者だ。

セネカが属したストア派の哲学に影響を受けた哲学者の一人でもある。これを見ると、アリストテレスからセネカ、スピノザ、ドゥルーズまでの約２０００年にわたる哲学的メッセージの一つが、「人間は社会的関係を結びながら生きるもの」だということが分かる。私たちは一人では生きていけない。人類は絶えず対面して絆を結び進化してきた。これこそがコンタクトの歴史というわけだ。コンタクトの歴史の一つが民主主義の発展でもある。

ホモ・サピエンス（Homo Sapience）とは、「知恵のある人」という意味だ。現在までに発見された化石から推測すると、ホモ・サピエンスは数十万年前にアフリカで誕生している。かつての地球には、人間の直系の先祖にあたるホモ・サピエンスだけが存在したわけではない。ネアンデルタール人、ホモ・エレクトス、ホモ・ハビリスなど数多くの人類が存在していたが、彼らは皆絶滅し、ホモ・サピエンスだけが生き残った。これについて学界は概ね、厳しい環境変化に適応できずに淘汰されたり、より優位な競争者に吸収されて絶滅したりしたものと推測している。

それならば、ホモ・サピエンスはどんな競争力をもって進化を繰り返し、現代まで生き残ったのだろう？　その理由こそが社会性である。社会的ネットワークによってつながり、集団的群れをなすだけではなく、その中で協力と進化をしてきたのだ。集団の力は個人の力より強力だ。「人間」という漢字は、人と人との間の社会を示している。

東洋でも西洋でも、数千年にわたって「人間は社会的動物だ」という見方を続けているのは、人類が集団的交流と社会的関係を通じて、より優位な進化を成し遂げてきたからだ。

聖堂や教会は全ての人々の視線が壇上に向くように設計されている。議会や劇場、競技場、学校の講義室も同様だ。こうした空間の元祖ともいえる古代ギリシャの円形劇場も、政治的権威を強化するために作られたローマのコロッセオも同様である。個人の空間といえる家ではあえてこうした空間設計を必要としないが、社会的空間といえる場所ではリーダーあるいは権威者、代表者、指導者と呼ばれる人を中心とした空間設計が行われる。

空間だけで権威を生み出すことができるのだ。そして、このような集団的空間では、個人の声よりも集団の声が力をもちやすく、共同の目標、共同の利益のための活動が優先されやすい。これだけ見ても、私たちは一貫して社会的な動物であり、非常に政治的な動物だと言える。社会的・政治的属性が私たちのもつ社会的共同体を維持する根幹になるのだ。

歴史的に見ると過去も現在も、その時代において最も力をもつ国家は、その当時に最も人口密度の高い大都市を保有した国家という特徴がある。大都市とは人間同士の交流が最も活発で密接な環境だ。こうした環境のおかげで経済や産業は成長し、協力と競争による技術的進化も果たしやすくなる。

現代は、インターネット上のネットワークで連結した者同士の集団的知性の力も強くなっているが、かつて集団的な連結の力を見せるためには、密集した空間で人が直接つながることが必須だった。物理的な大都市は拡張するにも限界がある。連結にも限界がある。しかし、物理的なオフラインの大都市に、ネットワークでつながったオンラインの集団的知性が結合すれば、人類の社会的連結と交流はさらに広がる。

これまでの歴史は、人類をオフラインでの連結と交流を極大化させる方向へ進化させてきたが、これからはオンラインでのつながりと交流を、オフラインと並行させる方向に進化させていくだろう。アンコンタクトは断絶ではない。コンタクト時代の進化なのだ。

私たちがより安全で、より便利で、より効率的につながるために、人が直接対面しなくても連結と交流ができるアンコンタクト技術を受け入れるということである。アンコンタクト社会になっても共同体は健在だ。私たちが社会的動物だというのも変わらない。ただし、社会的関係を結んで交流し、つながる方式においては非対面・非接触が増え、ロボットやＩＴ技術が人の役割を一部代替するようになる。

私たちは一人では生きられない。それでも、共同体の連結や交流方式の中にある弊害は取り除かれていくだろう。人が嫌なのではなく、集団そのものが嫌なのでもなく、その中で起きる個人の欲求や貪欲のための不当で不合理な出来事が嫌なだけだ。これが嫌で集団を拒否し、自ら孤立化した人々もいるわけだが、アンコンタクト社会が透明性を高めていけば、こうした問題にも解消の余地が生まれる。不当な行為を他人に知られることなく、思う存分権力を振るっても強く牽制されることがなかった時代に犯してきた問題は、透明性が強まりフラット化した時代では持続不可能だからだ。

政治も変化を免れない

2020年11月3日に行われるアメリカ大統領選挙に向けて、民主党と、共和党はともに8月に全国党大会を行って大統領候補者を公式に指名し、本格的な選挙運動を始める。それにあたり、全国党大会に参加する代議員を選ぶコーカス（党内の幹部会）とプライマリー（州政府が行う事実上の予備選挙で、住民登録がある全ての人に投票権がある）が州ごとに行われる。現職大統領の再選が慣行となっているため、共和党は本選だけ準備すればいいが、民主党は大統領選候補者選びのための熾烈な予選から始めなければならない。

コーカスとプライマリーは2月から6月にかけて行われる。2020年の大統領選挙では問題が生じた。アメリカ疾病予防管理センター（CDC）は、新型コロナウイルスの感染者が急増すると、3月15日に、以降8週間の50人以上の集会の自粛を勧告した。これにより、タウンホール・ミーティングや遊説によって支持者を集め、後援金を募るアメリカの伝統的な選挙運動が8週間禁止されることになったわけだ。3月15日にCNNのスタジオで行われた民主党の有力候補バイデンとサンダースのテレビ討論に観客はなく、討論に先立ち行われた両候補の挨拶も握手ではなく肘での挨拶だった。歴史上、有力な大統領選候補らが握手も観客もなしにテレビ討論したことはなかったはずだ。

テレビ討論のみならず、両大統領選候補陣営では大規模な遊説も中止され始めた。民主党の有力候補の遊説が中止されると、共和党の選挙イベントや複数の州で予定されていた後援金募金イベントも全て中止された。また、3月17日に予定されていたオハイオ州のプライマリーが6月2日に延期されたのをはじめ、3、4月に予定されていたプライマリーの多くが5、6月に延期された。さらに、4月4日に予定されていたワイオミング州のコーカスに至っては直接投票を禁止し、郵便投票を奨励した。これを手始めに多数のプライマリーが郵便投票と不在者投票に転換している。選挙キャンペーンや党内選挙の日程にも支障をきたしたわけだ。延期された日程も、コロナの収束状況によっては、さらに延期される可能性があるため、全スケジュールで支障をきたすことになる。

民主党のワシントン州のプライマリーでは郵便投票が急増したため開票が遅延し、発表が数日延期された。そして、より大きな問題として、辞退した候補らに投じた票も発生した。事前の郵便投票で、候補者が辞退する前に投票してしまったためだ。もし、自分が支持する候補が辞退したことを知った上で投票場に行っていれば、死票はかなり減り、他の候補者に票が流れたはずである。コロナは投票にも影響を与えたわけだ。

新型コロナウイルス前後でトランプ再選の可能性に変化が生じた。コロナによってアメリカは非常事態宣言をし、株式市場の暴落や保健・医療に対する深刻な危機を迎えたからだ。米大統領選挙において、予想外の変数であったコロナが強い影響力を発揮したことは否定できない。

アメリカの政治専門紙『ザ・ヒル』(The Hill)でも、「ウイルス危機が政界を覆す」(2020年3月13日)というタイトルで、新型コロナウイルスがアメリカの大統領選の勢力図を変えたことを伝えている。もちろん、コロナによって選挙への関心が薄れることは民主党にとっても損失だ。コロナにどう対処し収束させるかが、共和党と民主党、どちらにとっても重要な争点になる。

突如として舞い込んだ変数が米大統領選挙の重要な争点となった。その上、共和党のトランプ(74歳)、民主党のバイデン(77歳)、サンダース(79歳)はいずれも70代だ。新型コロナウイルスに相対的に脆弱な老齢層が大統領選候補なのである。外部との接触に注意する必要があるわけだ。

従来の選挙運動方式から離れ、オンラインを中心とした新たな代案を模索することが課題となった。これは、アメリカの大統領選挙に限らず、韓国の国会議員選挙でも同様だった。主要政党が対面での選挙運動禁止の指針を示したことで、候補者たちは仕方なく非対面選挙運動に注力することになった。

非対面の選挙運動も間違いなく重要な戦略であり、効果の高い方式ではあるが、準備を整えていない政党や候補者にとっては、これも一つのハードルだ。相対的に群小政党や新人が不利になりやすい。マスコミの注目度が高い上に、相対的に予算が多い大政党の方が、メディアやオンラインを活用するチャンスが大きいからだ。現行の選挙運動法では、現職の国会議員も相対的に有利だと言える。もちろん、これは全ての候補者において非対面の選挙運動、すなわちデジタル選挙運動戦略への十分な備えが整っていないという前提での話だ。

新型コロナウイルスという変数とは関係なく、重要な戦略であった非対面の選挙運動に対する対応が消極的だったということだけ見ても、政界の社会や有権者の変化に対する鈍感さを端的に読み取ることができる。

非対面の選挙運動の力を見せつけた事例として、バラク・オバマ大統領が当選した2008年の米大統領選挙が挙げられる。オバマ大統領のデジタル選挙運動は、世界中の政治家にとって新しいモデルとなった。その後、ソーシャルメディアを積極的に活用する政治家が急増している。すでに2008年のオバマ選挙陣営では、効果が懐疑的だとして無作為にメッセージを送るやり方を止揚し、陣営内に置いたデータ分析チームの分析に基づき、細分化されたターゲット別に選別したメッセージを送っていた。非対面の選挙運動で最も重要なことは、ソーシャルメディアでコンテンツを作り、コミュニケーションをとることではない。それより先に、有権者のビッグデータ分析が行われなければならない。分析なしに作ったコンテンツとコミュニケーションでは、無作為にばら撒くメッセージと変わらないからだ。

2008年当時のオバマ陣営では、有権者の累積投票結果や大規模な電話アンケートによって得られた有権者の政治性向や年齢、人種、性別、居住地域、所得、教育、住宅、志向など、確保可能な様々なデータを総合し、ターゲット別にどんな内容の広報をして誰を説得し、誰に投票を促すかといった戦略を立てた。メッセージを送る時間やコンテンツ内容も、西部と東部の時差まで考慮して反映させている。

確保できる全てのデータを活用し、反映できる全ての項目を挙げてビッグデータ分析をしたわけだ。支持層の結集と強化のための活動とともに、中道層の説得可否を分析し、説得の優先順位に沿って支持を広げ、相手候補の支持層に対しても、支持強度の弱い層を取り込んでオバマを支持するよう説得したり、投票を放棄させたりするやり方で攻略した。対面中心の選挙運動を主流としていた時期に、オバマ陣営が郵便、電話、ソーシャルメディアといった非対面チャンネルを積極的に活用したのは、精密なデータに基づいた有権者説得作業の効果を信じていたからである。

２０１２年の再選に向けた選挙運動では、２００８年以上に精巧なデジタル選挙運動が行われた。データ分析チームの規模は２００８年と比べて5倍に拡大し、デジタルキャンペーンに投入された予算も3倍になった。ユーチューブ、フェイスブック、Tumblr、Google+、ピンタレスト、ツイッターといったソーシャルネットワークで有権者と常時コミュニケーションをとり、様々なコンテンツを作って、各ソーシャルネットワークの特性に合わせた対象の絞り込みやメッセージの差別化を図っている。２００８年と２０１２年の大統領選挙ですでに成功を収めた方式だ。データ分析に基づいて事細かく有権者を把握することは、今後、公約や政治的方向性を定める上での基準にもなる。有権者、つまり国民中心の政治を行うためにも、細密なビッグデータ分析は必要だ。これは選挙に限らず、政権においても常に取り組むべき課題でもある。

選挙の資金集めにおいても、オンラインの成果は大きかった。献金依頼メールなどオンラインの活動で得られた献金額は、6億9000万ドル（当時の為替レートで約558億円）に達しているともいわれる。全体の献金額が10億ドルを突破したと言われるほどなので、3分の2はオンラインによるものということになる。Eメールを送る際にオバマ陣営は、タイトルや内容、献金希望最少額、フォーマットなどが異なる18種類のメールを作成し、第一グループに送って反応をテストしてから、その中で最も効果的だったバージョンを数千万人に送るという方法をとったという。

選挙運動終盤では20人の作家チームが数百個の多様なバージョンを作成し、さらに効果を高めている。2012年10月1日から17日までに集めた献金額、約1億ドルのうちの大半が献金依頼メールの効果によるものだった。もちろんアメリカと韓国では選挙法が異なるが、綿密な分析によって細分化されたターゲットへの接近がデジタル環境、つまり非対面において有効だという点では同じである。

非対面の選挙運動をするにあたって、むやみにアクセス数やトラフィック（訳者注：通信回線において送受信されるデータ量を指す〕を増やそうとする政治家はいまだに多い。トラフィックと支持率の相関関係は、依然として未知数で、そうなる場合もあるが、そうならない場合もあるというところである。トラフィックを増やすために目立つコンテンツを作り、無作為にメッセージを送るという方式は、オフライン基盤の対面選挙運動を機械的にオンラインに移したにすぎず、デジタル選挙運動における最適な方式とは言い難い。

それにもかかわらず、2020年の韓国国会議員選挙で思いがけず非対面選挙運動をすることになった候補者の多くは、拙い方法でそれに挑んだ。奇抜なものを好む20~30代の志向を反映するとして破天荒な姿を見せたり、映画のパロディー動画を撮ってユーチューブに上げたりするなど、非対面選挙運動としてソーシャルメディアに目を引く奇抜なコンテンツを作ることが多かった。

選挙運動は面白いコンテンツで勝負するエンターテインメントショーではない。しかし、オフラインの対面選挙運動においても在来市場に出向くといったパフォーマンスで注目を集めるのが当たり前だった人々だからなのか、デジタルやオンラインへの理解も乏しかった。有権者に対する分析やターゲット別の取り込み戦略もなく、非対面ならではのコミュニケーションやフラット化というメリットも全く活用されず、大抵は一方的に不特定多数に対する広報を行うだけだった。

2008年にオバマ陣営が行っていたレベルにすら達していない。いまだに12年前の方式にすら追いついていないのは、そもそも非対面に対する準備をしていなかったためだ。要するに、すでに可視化されていたアンコンタクト社会への転換に背を向け、慣習的な方式の対面選挙運動と旧式の政治形態だけに止まっていたというわけだ。

選挙運動の方式がアンコンタクト中心に変われば、間違いなくコストを削減できる。選挙にかかる莫大な税金を減らすことも政治の課題だ。選挙運動の方式を変えるだけではなく、政治の方式においてもアンコンタクトへの取り組みを一層広げる必要がある。

上場企業が行う株主総会の電子投票制を10年前から法的に可能にしているのが政界であり、選挙でも電子投票が行えるよう法的根拠を作っておいた韓国ではあるが、これを実行に移す考えはもちあわせていない。各党の利害衝突があるだけではなく、既存の政権中枢全体がこうした変化に抵抗をおぼえているからだ。

アンコンタクト社会では、電子投票制を活用した常時の国民投票、あるいは直接民主主義に対する要求が高まることになる。技術的進化による直接民主主義の実現に関して、ポピュリズムを憂慮する人々もいるだろう。しかし、現代の韓国国民が、既存の政治家の水準に劣ると言えるだろうか？　全てにおいて直接民主主義を実行することはできないが、可能な部分に関しては反映しても構わないはずだ。

準直接民主主義を採用しているスイスが代表的な例である。人口857万人のスイスは、年に4回の国民投票によって一部の議員がもつ権力を牽制し、様々な日常の課題を政治化して、いわゆる生活の政治化を成し遂げた国でもある。スイスは、電子投票でもないオフラインの方式で、すでに19世紀から国民投票関連法案を採択してきた国だ。全ての国で同じようにすることはできないが、電子投票とデジタル政治環境があれば話は変わってくる。時期の問題があるだけで、進むべき方向であることは間違いない。

最も憂慮されるのは、やはり電子投票を行うサーバへのハッキングやセキュリティの問題だが、ブロックチェーン技術や様々なセキュリティ、本人認証技術によって、その代案を見出すことはできる。すでに暗証番号や指紋認証を使って、スマートフォンでの株式投資や送金、株主総会の電子投票も行われている。

大金が動く状況でも、ハッキングとセキュリティの問題を十分に解決しているのが現実だ。政界が最も憂慮しているのは電子投票そのものではなく、それによる政治方式の変化かもしれない。既存の政界がもつ既得権が消える恐れがあることや、政治パラダイムが根本的に変わることに対して、拒否感を示す可能性がある。政治に対する電話中心の世論調査は回答率も低く、誤差や曲解の余地があるにもかかわらず固守されるのは、それが慣習であり、その中に利害関係があるためである。

本書でも複数のチャプターにわたって述べてきた通り、アンコンタクト社会への転換に抵抗する勢力は様々な分野に存在する。それを乗り越えるのが革新だ。韓国社会において電子投票やデジタル民主主義が提起されてから20年が過ぎた。実現までにどれくらいかかるかは分からないが、必ず進むべき方向である。世界中の多くの国でデジタル民主主義への様々な取り組みがなされてきた。今後もその取り組みは続くだろう。

2300余年前にアリストテレスが言った「人間は政治的動物だ」という言葉がいまだに通用するように、人類にとって政治は今後も重要なテーマであり続ける。社会が変われば人も変わり、同じ問題に対する見方や解き方も変わる可能性がある。アンコンタクト社会にふさわしい政治環境の変化こそが、今後の政界が解決すべき課題なのである。

「超連結社会」と「アンコンタクト社会」は対義語ではない

超連結社会（Hyper-connected Society）はインターネットやモバイル機器、センサー技術などの進化により、人と物などあらゆるものがネットワークでつながった社会をいう。モノのインターネット、人工知能、ビッグデータ、拡張現実、自動運転車、スマートシティなど未来有望というビジネスも全て超連結社会の産物だ。フェイスブックやインスタグラム、ユーチューブなどのソーシャルネットワークサービスも、全て超連結の産物である。

より円滑に全てをつなげる超連結とアンコンタクト社会にどんな関係があるのだろうか？一見すると、超連結とアンコンタクトは対義語のように見えるかもしれないが、よく見るとこの二つは同じ方向を目指している。アンコンタクト社会では、人間同士の直接的な接触は減るが、リアルタイムのデータ連結は大幅に増える。オフラインの接触と対面が減るだけで、オンラインの連結、交流、データの連結は激増するのだ。

「ビッグベリーソーラー」（BigBelly Solar）は、太陽光を利用してゴミを圧縮することで、同じサイズのゴミ箱より5倍も多く入れることができ、リサイクル収集箱付きで、収集の効率性を高めたゴミ箱を作った。ゴミ箱メーカーに止まらない同社は、ネットワークでつないだゴミ箱にクラウド技術を採用し、無線通信機能も追加している。表示によりリアルタイムでゴミ箱内のゴミの量を把握し、収集に最適な時期も把握することができるのだ。これを都市と連結してゴミの収集方式を変えたところ、ビッグベリーソーラーを設置した都市では収集頻度を平均70〜80％減らしながらも、以前より多くのゴミを効率的に収集できるようになった。固定された回収日ではなく、排出状況によって効率的なコースと回収時期を決めるのが超連結の力である。

彼らはゴミ箱から得たビッグデータの販売も行う。ゴミ箱さえも、モノのインターネットIoT、ビッグデータ、クラウド技術を活用してスマートシティを実現する一要素になったのだ。かつては、よその家庭のゴミ、よその地域のゴミが、自分とは何の関係もないように見えていたが、現在ではこれが相互に連結し、関係なさそうに見えていたよその地域のゴミが、自分の住む街と自分の家のゴミの収集にも影響を及ぼすことを確認できるようになった。人間が直接出向いて答えを探すのではなく、超連結されたデータの力でその答えを探し出すわけだ。

保険会社「プログレッシブ」(Progressive)は保険料算定のため、自動車にネットワークに接続されたデバイスを設置し、運転者の運転習慣を観察・分析している。実際の運転習慣の具体的なデータを通じて、安全運転をしているか否かを把握し、割引の適用を決定するのだ。こうした自動車保険は世界中に広がっている。これがもっと進化して自動車の運転データをリアルタイムで確保できるようになれば、保険料もリアルタイムで賦課できるようになる。例えば、自分自身は事故を起こしていなくても、他人の事故を誘発するマナー違反な運転をするドライバーにはペナルティーを科すことができ、保険詐欺も根絶できるのだ。

これらは全て超連結社会が変える私たちの日常の一場面である。コンタクト社会のデメリットを取り除く装置が超連結であり、そうしてデメリットが取り除かれた社会がアンコンタクトになるわけだ。

カナダの感染疾患予測専門企業ブルードット(BlueDot)は、新種のコロナウイルス拡散をどこよりも早く予測した会社だ。アメリカ疾病予防管理センターや世界保健機関よりも先に、中国政府の公式対応が始まった時点よりもだいぶ早く予想している。伝染病の拡散において大事なのは初期対応であり、1週間という時間も非常に重要だ。もし中国がもっと早く、もっと積極的に対応していたらどうだっただろうか？　2020年の年明けに水を差し、日常はもとより、経済や産業にまで大きな打撃を与えている新型コロナウイルスの拡散をより早く食い止めることができたのではないか？

ブルードットは人工知能によって65カ国語のニュースをはじめ、家畜や動物に関するデータ、蚊をはじめとした害虫の現況、国際空港の移動データなどを収集し、疾病の拡散を予測した。この予測では信頼度が落ちるという理由でソーシャルメディアデータは反映していない。かつてグーグルがソーシャルメディアの検索頻度の増加推移を見て、インフルエンザやMERSといった伝染病をアメリカ疾病予防管理センターより先に警告したことがある。人工知能とビッグデータは危機をより早く予測し、危機対応のゴールデンタイムを生かす。

航空機のエンジンを作るGEは、エンジンに50〜60個のセンサーを搭載している。これによってリアルタイムでデータを確保できるので、運行中の飛行機のエンジン状態を把握して予測し、あらかじめ必要な部品と修理の準備を整えて、飛行機の着陸後すぐに修理できるようにしている。修理時間の短縮と安全性の向上は航空会社の運航路線拡大につながる。超連結の力が金を生み、危険を減らしてくれるのだ。

最近はどこの自動車メーカーもモビリティサービス企業に生まれ変わっている。製造ではなくサービスに、つまり車を基盤としてビジネスを拡大しているのだ。私たちが車で移動する動線と日常を把握することで、様々なビジネスが可能になった自動車メーカーは、すでに自動車保険に進出し、決済サービスや流通サービスまで展開している。自動車を「走るスマートフォン」と定義する時代になったのだ。

かつて自動車メーカーが主導していた市場は、いまやIT企業が競争力をもつモビリティ市場になり、自動車・通信・ITサービスの全てが狙う最も熱い市場となった。さらには、タイヤメーカーもサービス業に生まれ変わると言っており、韓国の代表的なタイヤ会社は社名まで変えている。これらは全て製造業におけるサービス化の流れの一つである。作って販売して終わるのではなく、消費者と持続的な関係を結び、ビジネス基盤を拡張させる。消費財において、所有より共有に対する消費者の要求が大きくなったことが理由として挙げられる。

超連結の力は、ビッグデータと人工知能によって読心術を編み出し、まるで望みを正確に把握しているかのように私たちの欲求を満たし、消費を引き出すようになる。超連結と無関係な産業はないと言っても過言ではない。そして最終的に、超連結はアンコンタクト社会を作る。データが積極的に活用される超連結社会は、以前ならできなかったことをより早く、知らなかったことをより多く教えてくれる。私たちは超連結によってより便利になり、より豊かになり、より安全になる。だからこそ、未来産業の競争力強化のためにも、大胆な法的・制度的な補完が必要になる。過去の基準では決して未来を導くことができないからだ。

私たちはつながらなければならない時代を生きている。ソーシャルネットワークサービスによって、人と人はより緊密につながっている。人とモノをめぐる各種データの収集と活用によって、ライフスタイルはもとより、社会、政治、経済、産業の方向も変わるのだ。

どこまでがプライベートか？

エレクトロニクス分野の見本市であるCES2020で、LG電子はカナダのAIソリューション企業「Element AI」と共同で開発した人工知能発展段階（Levels of AI Experience）を紹介した。レベル1は効率化（Efficiency）で、人工知能が指定された命令や条件に従って製品を作動させる。レベル2はパーソナル化（Personalization）で、ユーザーの行動を分析してパターンを認識し、ユーザーを区別する。レベル3は推論（Reasoning）で、様々な接点のデータを分析し、行動の原因と結果を分析する。レベル4は探求（Exploration）で、人工知能が自ら仮説を立てて検証し、より良いソリューションを提案する。

つまり、レベル2では人工知能が製品やサービスを利用する人の声、顔、使用方式などを分析し、数人で使っていてもそれぞれが誰かを把握することができる。例えば、人工知能冷蔵庫なら、使用者がどんな食べ物を好むのか理解して、状況に合ったレシピを推薦することができ、使用者が薬を服用する人なら、薬を飲むよう思い出させることができるのだ。命令と条件に合致しなければ反応しないレベル1を超え、レベル2では使用者自体に対する分析が強化される。レベル3になると、人工知能が収集済みの多様なユーザーデータとの相関関係から推論をする。例えばユーザーがボイラーをつけ、センサー付きのクローゼットから厚手の服を取り出して着用し、熱いコーヒーを淹れて飲んだ場合、このデータから寒くて体温を高めようとしているものと把握する。そこに以後気温が下がるという情報を確保すると、自動で暖房を準備し、厚手の服を着ることを提案し、熱いコーヒーを準備するか否かユーザーに問うのだ。冷蔵庫の中の足りない食材を注文し、植物栽培機に命令して必要な野菜を作らせることもできる。

　業界は現在の人工知能の段階をレベル2からレベル3に移る過程と見ているが、この時点になると便利さと同時にプライバシーの問題が提起されるようになる。人工知能が私たちにとって便利な答えを出すために、日常データの確保が必要になるからだ。つまり、人工知能が搭載された家電製品に自分のプライバシーを収集させ、活用できるようにしなければならないのである。超連結社会はアンコンタクト社会への道を切り開き、同時にプライバシーに対する課題も与えた。超連結社会とアンコンタクト社会を作るのに重要な人工知能とビッグデータは、いずれも私たちのプライバシーや日常のデータを活用できてこそ、より進化した答えを導いてくれるものだ。私たちが語らず、教えていないものを察して答えを出すことはできない。

人工知能やビッグデータなどを未来産業の根幹にするということには、プライバシーに対する定義の転換が盛り込まれている。アンコンタクトの核心は、人がいなくなることではなく、直接対面しなくても直接対面したのと同じだけ、時にはそれ以上に安定的で効果的な便宜を得られるところにある。対面より不安で不便な非対面なら、それをすべき理由はない。

2018年、米ポートランドのある夫婦は、衝撃の出来事を経験した。自分たちが家で交わしたプライベートな会話を誰かが録音して、彼らのアドレス帳に登録されていた人に無断で送ったのだ。確認したところAIスピーカー（スマートスピーカー）である「アマゾンエコー」の仕業だと分かった。アマゾンでは、ソフトウェアのアレクサが単語を誤って認識したことでエコーが起動してしまったと発表しているが、これはAIスピーカーを使う人々にプライバシー侵害とセキュリティに対する問題を認識させた事件だった。

AIスピーカーの分野では、アマゾンを筆頭にグーグル、百度、アリババ、シャオミ、アップル、フェイスブックといったグローバル企業がしのぎを削っており、韓国内ではKT、SKT、カカオ、ネイバーなども市場を席巻している。これらの企業では、AIスピーカーの音声認識レベルを高めるため、ユーザーらの声を録音して分析を行っていることが多い。技術的進化のために必要な過程ではあるが、同時に不安も生まれる。

私たちの日常には人工知能技術が深く浸透している。AIスピーカーは、全ての家庭にあると言っても過言ではないほど普及した。2020年2月、グーグルはユーチューブプレミアムなどの会員を対象にAIスピーカー「グーグルネストミニ」の無料贈呈プロモーションを行っている。月額7900ウォン〔訳者注：日本では月額1180円〕のユーチューブプレミアム会員に対して、6万ウォンほどのグーグルネストミニを贈呈するのだ。割に合わないようにも思えるが、グーグルは損害を被ってまで贈呈しているわけではない。グーグルのAIスピーカーシェアの拡大や、ソフトウェア「グーグルアシスタント」の影響力強化、そして個人向け広告のターゲッティング対象拡大のためのユーザーのデータ確保を目的としているのだ。

2018年現在、グーグルの売上の85％は広告収入である。事業の多角化によって、かつての90％以上に比べれば数字は下がってきているが、相変わらず圧倒的な比率である。フェイスブックは全体売上の98％が広告収入だ。アマゾンは広告市場の新たな強者として浮上してきており、2019年の売上全体に占める広告収入の割合は4％程度ではあるものの、年間売上規模は100億ドル（1兆700億円）に上る。2019年第2四半期の広告収入は前年同期比で37％成長するほど躍進中で、アメリカの検索連動型広告市場ではシェア2位まで上昇した。1位は不動のグーグルである。

重要なのは、これらの企業がいずれもAIスピーカー事業を行っているということである。オンライン広告市場において個人化は最も重要な基盤だ。彼らの広告収益は、私たちのプライバシーや個人情報を活用して得たものと言っても過言ではない。だが、私たちのおかげで稼いだ金を私たちに還元してくれることはない。

厳密に言えば、ここで私たちはデータ労働をしているのだ。何を買って、何を見て、何が好きで、何に関心があるのかといったデータを残す過程で時間と金を投資している。そのため以前から、こうしたデータ労働に対して恩恵を受けた企業が金を払うべきだという主張もある。

人工知能の時代になれば、データ労働の価値は一層認められるべきだという意見もあるが、企業側としては当然、こうした主張に抵抗する。彼らとしては、これまでタダで活用していたプライバシーやデータ労働への支払いを、何としてでも避けたいからだ。これは企業と個人の問題ではなく、社会と共同体の問題である。

人工知能の時代は私たちを便利にしてくれるだろう。アンコンタクトによって享受できるものも一層増えるはずだ。だがそれは「プライバシー」と「データ労働」という前提があってこそ叶う未来でもある。私たちはプライバシーという言葉の後ろに、それとなく「侵害」という単語をつける。それは社会がこれまでプライバシーを「非公開で保護されるもの」とばかり考えてきたためだ。しかし現在、個人の情報や活動の痕跡に関して、公開・非公開の範囲は選択できるものになってきている。個人情報を公開するか否かという選択権を持つのである。無条件の保護を必要とするものから「選択」に変わったのだ。

確かに、超連結社会やアンコンタクト社会になっても、ネットワークとつながることなく、人工知能技術や各種センサー技術とは距離をおいて暮らすなら、プライバシーを非公開にしたまま暮らすこともできる。ただし、そうすると変化した社会において選択権が狭まり、他人との関係や文明の便宜も得られなくなるだろう。つながらずには生きられない社会だ。自動運転車であれスマートシティであれ、技術的進化が作る未来のライフスタイルを享受する上で、多くの制約を受けることになる。

連結社会は、技術的・産業的変化をもたらすだけではない。生き方や人間との関係において、常に新たな基準が求められる。その時は正しくても、今は違うといったことが起こり続けるのだ。

すでに私たちは外出先で家のロボット掃除機を作動させ、冷暖房機器を操作して温度を調整し、掃除が終わったかどうか確認することができる。モノのインターネットＩｏＴ技術により、家の外にいながら、いつでも家の中をコントロール・管理できるようになった。ロボット掃除機だけでなく、冷蔵庫、照明、テレビ、ドアロック、ガス栓でさえ、ネットワークにつながっていれば何でも制御できる。遠く海外にいても可能だ。家との物理的な距離は意味がなくなった。インターネットがつながっていて、手の中にスマートフォンさえあれば可能なことだからだ。

便利な世の中だが、逆に考えると危険でもある。ハッキングによって自宅のドアロックを解除したり、室内のホームカメラで私生活を覗き込んだりすることもできる。これは仮定ではなく現実だ。スマートテレビを使って盗聴や傍受をし、スマート温度調節器をハッキングして室温を極限まで上げ、これを下げる条件としてビットコインを要求するハッキング実演を公開した例もある。

プライバシーを流出させると脅迫する新種の犯罪になるのだ。すでにネットワークにつながったスマート家電が一般化している時代だ。ＳＫインフォセックの「２０２０年セキュリティ脅威の展望報告書」でも、２０２０年はセキュリティ設定のないＩｏＴ装備を狙った攻撃が増加するとの見通しを立てている。韓国インターネット振興院ＫＩＳＡの「２０２０年度７大サイバー攻撃の展望」でも、ＩｏＴをはじめとした日常のセキュリティホールを取り上げた。

超連結のジレンマがまさにハッキングとプライバシー侵害である。超連結時代では、つながる権利と同じくらいつながらない権利も重要になった。人との面と向かった接触・対面が減るアンコンタクト社会では、よりきめ細かなネットワークとＩＴ技術の連結が必要になる。アンコンタクト社会の影の部分とも言えるだろう。

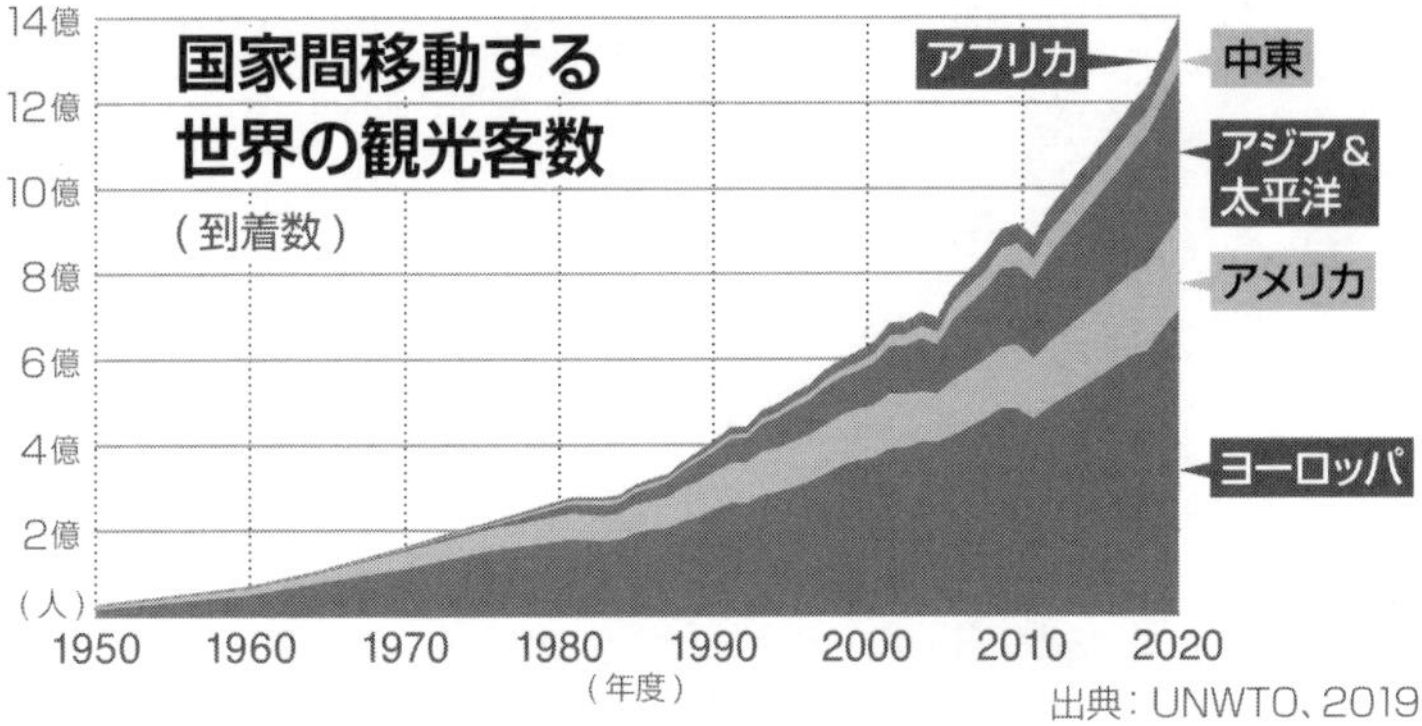

出典：UNWTO、2019

世界は再び断絶する？

私たちは過去に比べてより頻繁に世界中を移動し、交流している。世界の観光客数はこの20年間で2倍以上に増えている（ＵＮＷＴＯ調べ）。30年前の１９８９年と比べれば3・5倍である。

１９７５年の世界の観光客数は約2億人で6億人を超えたのは１９９８年とされる。この時までは、年間1億人が追加されるには5年ほどかかっていた。それがこの5年間で約3億人も増えたのだ。

２０００年から２０１９年まで、全世界の観光客数の増加率がマイナスに転じたのは2回だけだ。1回はＳＡＲＳ、もう1回は世界金融危機のあおりで伸び悩んでいるところに新型インフルエンザまで重なった２００９年である。海外旅行者を減らすのは世界的な伝染病と経済危機だけというわけだ。

この5年で平均5％、この10年では平均6％ほど増加していた年間の海外旅行客数は、２０２０年には軽く15億人を超えるだろうと予想されていた。ところが、新型コロナウイルスの影響により、２０２０年の前年比海外旅行客数はこの20年で最大、いや、過去最大の下げ幅となった。これは旅行業界や航空業界にとって深刻な危機である。これまでグローバル化によって世界の連結が加速したことで成長してきた旅行業界と航空業界が、反対の状況を迎えたのだ。

コロナウイルスがヨーロッパとアメリカに拡散し、世界の空路が全て閉ざされた。旅行どころか、人的交流そのものが断たれたのだ。私たちは歴史上初めての断絶の時期を経験した。

新型コロナウイルスが収束すれば原状回復するのだろうか？　消費と景気の低迷の影響もあるだろうが、決定的に重要なのは、見知らぬ他人に対する違和感がどれだけ早く解消されるかという問題だ。ヨーロッパやアメリカではアジア人に対する差別が起こり、旅行者はもちろん移住者たちも不安と居心地の悪さをおぼえた。嫌悪や否定的な認識は、一度植えつけられると簡単には消えない。出入国自体が制限されて身動きがとれなくなったり、隔離されたりした人も多く、これらを間接的に経験した人も多かった。コロナ問題が長期化すれば、出入国が全面禁止から部分許可に変わったとしても、手続きの面では引き続き複雑さをともなうはずだ。旅行に対する心理的ハードルが高まることになる。

ウェブ会議や電話会議の拡大が、対面してこそ仕事だという文化衰退のきっかけを作ったため、海外出張も減る可能性がある。バーチャルリアリティ、拡張現実、複合現実といった技術は、旅行そのものを代替することはできなくても、一部を代替する可能性が十分にある。コンタクト基盤のグローバル化からアンコンタクト基盤のグローバル化への進化が必要になったのである。

グローバル化は、全世界が統合的で、各国が相互依存的な経済体制を構築していることを意味する。もはや独立的な国家経済体制は維持できないほど世界中がつながっているのだ。人類の歴史の中でグローバル化への取り組みは常に行われてきたが、現代的な意味でのグローバル化は1990年代以降になって本格化した。グローバル化の根幹を担う世界貿易機関（WTO）は、第二次世界大戦後の1947年に作られた関税および貿易に関する一般協定（GATT）の、問題解決のための多国間通商交渉ウルグアイ・ラウンド（1986年9月〜1993年12月）の合意によって、世界の貿易障壁を廃止・減少させることを目的に1995年に設立された。

1991年12月にソ連が崩壊し、冷戦時代が終わる。1993年にはヨーロッパの政治・経済統合体である欧州連合（EU）が設立され、EU市民権が発効された。1999年にはユーロを使用するユーロ圏が設立されている。世界経済をリードする主要諸国が国際社会の経済・金融問題について話し合うG20は1999年に結成され、その後2008年の世界金融危機を機に、財務相・中央銀行総裁級の会議から首脳レベルの会議に格上げされた。

経済危機に共同で対応する必要があるのもグローバル化したからである。すでにお互いがつながっているため、ある特定地域の問題ではなく、全世界の問題になるのだ。世界は様々な条約や協議によってグローバル化を持続的に強化させており、産業や貿易、サプライチェーン、金融、経済などを高度に融合させてきている。

新型コロナウイルスによって一時的に断絶してはいるが、世界が断絶することは決してない。皆が生きていくためには連結の方法を見つけなければならないからだ。旅行や出張だけでなく、世界は人的・物的交流によって密接につながっている。だからこそ、新型コロナウイルスがもたらした危機から脱し、国際的なサプライチェーンを強化せざるを得ない。

2020年3月26日、特別ウェブ首脳会議によってG20首脳らが共同声明を採択した。新型コロナウイルスの世界的流行を収束させるために連帯し、国際的に対応するという内容とともに、生命の保護、雇用や所得維持、金融安定性と経済成長率の回復、貿易とグローバルサプライチェーン崩壊の最小化などを主要課題として提示した。

ここで注目すべきは、「貿易とグローバルサプライチェーン崩壊の最小化」だ。グローバル化により、国家間の移動と交流の断絶は、貿易の危機、製造業のサプライチェーンの危機、これによる経済・金融・成長の危機につながっていく。そしてそれは雇用と所得に直結する。生命に危害を及ぼす深刻な要素は疾病だけではない。資本主義社会において、所得と金がそれに劣らぬ重要な要素になるのは極めて当然のことだ。G20に出席した首脳らは、新型コロナウイルスという疾病がもたらした生命と保健の危機以上に、それによる経済危機への対応を重要視したわけだ。

G20諸国が新型コロナウイルスの経済的打撃に対処するために投入する財政規模だけで5兆ドル（535兆円）に上る。1997年のアジア通貨危機、2008年の金融危機よりさらに深刻な経済危機と見ているわけだ。

金融から始まった過去2回の危機とは異なり、今回の危機は伝染病による人々の隔離と断絶がもたらした消費低迷による需要危機に、グローバルサプライチェーンと生産システムの中断にともなう生産危機が加わって、金融危機と貿易危機に発展している。G20特別ウェブ首脳会議でも、国際貿易崩壊への対応を強調し、各国の貿易相らに対して透明かつ安定的な貿易と開放的な市場の維持に努めるよう求めている。

これを受けて3月30日にG20貿易相らのウェブ会議が開かれた。国境をまたぐ国際的なサプライチェーンの維持・強化のための議論が行われ、主要製品のサプライチェーンが途切れないよう各国が緊密に連携する方針で合意した。伝染病の危機が訪れても、グローバル化も貿易も生産網の連結も揺らがないというメッセージだ。

自国優先主義を掲げる米トランプ政権が引き起こした米中貿易戦争や、安倍政権による日韓貿易紛争など、ここ数年、世界では自国保護主義が広がり、貿易摩擦も深刻化している。そのため、新型コロナウイルス対応としての貿易協力や連帯も制限的にならざるを得ない状況ではある。

最も深刻なのは韓国だ。2018年現在、韓国のGNI国民総所得に占める輸出入の比率（貿易依存度）は86・8%である。それに対しOECD主要国の平均は53%程度だ〔訳者注：2018年時点で、日本の貿易依存度は29・3%〕。韓国の対外依存度がどれほど高いかが分かるだろう。特に、輸出では中国とアメリカに対する依存度が高い。

韓国の2019年の貿易（輸出）に占める割合は中国25・1%、アメリカ13・5%、ベトナム8・9%、香港5・9%、日本5・2%であり、上位5カ国だけで58・6%だ。これらを含めた上位10カ国（中国、アメリカ、ベトナム、香港、日本、台湾、インド、シンガポール、メキシコ、マレーシア）の割合が70・3%になる。韓国の3大輸出国は中国、アメリカ、ベトナムで、3大輸入国は中国、アメリカ、日本だ。これらの国との緊密な関係と交流は当然重要である。

世界銀行（WB）によると、韓国の名目GDP順位は2018年現在で世界205カ国のうち12位だという。2009〜2013年は14位、2014年は13位、2015〜2016年は11位、2017〜2018年は12位など、10位圏前半を10年間守っている。11位がロシア、10位がカナダだ。世界で国土面積が最も大きい国の1、2位がこの両国である。

GDP順位トップ15のうち国土面積は韓国が最下位で、人口も下位にある。韓国の全体GDPに対する貿易依存度は70・4%（2018年現在）だ。「輸出だけが生き残る道」という言葉が存在するだけのことはある。世界で年間輸出額が6000億ドルを超えた国は、歴代7カ国しかない。アメリカ、ドイツ、中国、オランダ、フランス、日本、そして韓国だ。6000億ドルを初めて超えた2018年当時の韓国の貿易順位は世界6位だった。

新型コロナウイルスがもたらした人的・物的交流の断絶は対外依存度が高い韓国にとって非常に大きな危機になる。国内の伝染病拡散への対応だけでなく、アメリカやヨーロッパ、中国など海外の状況がどのように展開されるかが韓国経済にとっては重要だ。

新型コロナウイルスがアメリカや中国などで史上最悪の経済指標を作り出している。米ウォール街の恐怖指数と呼ばれるシカゴオプション取引所（CBOE）変動性指数（VIX／CBOEに上場しているS&P500指数のオプション取引の今後30日間の値動きを測る指標）が新型コロナウイルスによって、82・69（2020年3月16日）を記録した。2008年の世界金融危機時（89・53／2008年10月24日）と比べても数値が高い。パンデミック宣言がなされた2009年の新型インフルエンザの時も、VIX指数は50を超えていなかった。SARSの時は40を超えず、MERSの時も30前後だった。コロナがもたらした経済危機の深刻さが分かる数字だ。

中国国家統計局によると、中国の2020年2月の購買担当者景気指数（PMI, Purchasing Managers' Index）が過去最低の35・7を記録した。それ以前の最低値は2008年11月の38・8である。世界金融危機を下回ったのだ。購買担当者景気指数とは景気の活性度合いを表す指標の一つで、企業の購買担当者を対象に新規注文、生産、在庫などを調べ、加重値を与えて0〜100の間の数値で表した値だ。つまり、50未満で景気の萎縮を意味する。前述したアメリカと中国の指標は端的な例にすぎない。数多くの指標が、コロナがもたらした経済危機の深刻さを物語っている。もちろん、コロナが収束したわけでもなく、現在進行中の状況で出た指標なので、事態が長期化し、新たな変数が加わるようなことがあれば、さらに深刻さを増す恐れもある。

アンコンタクト社会が、コンタクト社会の抱える対面による制約やリスクを解決するものだと考えれば、コロナ以降は、グローバル化と連結の拡大のため、アンコンタクト社会への急進展が一層必要になる。危機を経験すれば代案が作られるものだ。その代案はリスクを減らすことを基本としている。

例えば、これまでは世界の生産基地として世界の工場の3分の1が中国にあったからこそ効率性を高められていた。しかし、伝染病がもたらしたグローバルサプライチェーンの危機状況下では、工場の集中ではなく分散を選択し、サプライチェーン管理のリスクを減らす選択の方が効果的かもしれない。

新型コロナウイルスの発生により、中国のグローバルサプライチェーンとしての地位が下がり、ベトナムをはじめとした反射的利益を得る国々が現れたのは当然のことだ。生産ラインで人を最小限にとどめ、工場自動化を実行するということも、こうしたリスク管理レベルの選択であり、伝染病や対外変数が生じても、生産とサプライチェーンへの打撃を最小限に抑えられる環境作りに企業が関心を寄せるようになるのも当然の流れだ。断絶しては決して生きていけない世の中だからである。

二極化とディストピア

新型コロナウイルスによってフランス全域で移動制限措置が導入されると、有名リゾート地ノワールムティエ島の人口が2倍に急増した。海のある別荘で自宅隔離をし、移動制限を守ろうというのだ。こうした例はフランスに限らない。

別荘をもつ富裕層にとっては合理的な選択だろうが、大都市に住む多くの労働者には相対的な疎外感を与えるニュースだった。特に契約職や臨時職などのサービス労働者は、隔離すれば収入が減るが、仕事をすれば他人との接触のリスクを受け入れざるを得ない。しかも企業の経営が苦しくなれば、真っ先に職場を失う可能性がある。

在宅勤務やテレワークもサービス職や生産職では不可能なことだ。そもそも在宅勤務やテレワークの機会自体が、大企業の事務職に代表される能力のある労働者を中心にしか与えられない。富裕層と庶民どころか、労働者内ですら確然たる格差が存在するのだ。

富裕層は隔離中も金が金を生む可能性があり、すでに保持している資金だけでも十分豊かだ。彼らは自分の健康だけを気にして隔離を受け入れればよいが、庶民には過酷な現実的問題が生じる。伝染病の前では、富の二極化が一層大きく感じられる。

別荘だけではない。中国・武漢で新型コロナウイルスが発生した直後、中国から出国しようとする富裕層によって専用機のチャーター需要が急増したという。シンガポールに本社を構えるマイジェット・アジア（MyJet Asia）は、２０２０年1月の予約が前月比で80～90％増加した。中国脱出という目的に、伝染病感染への懸念から混雑した空港で人と接触することを避けるという目的が加わり、需要が急増したのだ。

アメリカのパラマウント・ビジネス・ジェッツ（Paramount Business Jets）、スイスのビスタジェット（Vista Jet）とルナジェッツ（Luna Jets）、イギリスのプライベートフライ（Private Fly）など、専用機の貸し出しを行うビジネスジェットサービスが好況を迎えた。航空会社が営業を停止すれば大半の人は移動手段を失うが、富裕層はチャーター機を使った移動方法を探す。

マスクを購入したり、感染が疑われたりすれば密かに診断キットを入手して事前に調べるなど、財力を利用して不可能なことも可能にする。誰もが望む安全と健康は、全ての人が享受するはずの基本権に該当するものだ。それにもかかわらず、財力によって安全を享受する人とそうでない人に分けられてしまう。高級な家に住んで、高級車に乗るのとは別の問題である。

社会の二極化、経済の二極化は、富裕層と庶民の差が大きくなるという単純な話ではない。

社会不平等の深化であり、中間階層の消滅を意味しているのだ。ＳＦ映画で扱った未来社会における経済的・社会的地位が生み出した社会的身分に基づく居住地域の分離である。社会的に排除されるのは、大半が貧しく疎外された階層だ。

福祉拡大やベーシックインカムなどに関する議論は、コロナによる隔離と断絶の経験が私たちに投げかけた問題の一つである。貧富の差がその他の全ての格差に拡大していく状況は、共同体と社会全体にとっても深刻なリスクになる。この格差の拡大を放置すれば、次の世代はより大きな危機を迎えることになるだろう。社会が急変する時期には政治の役割が何よりも重要である。

新型コロナウイルスによって私たちは強力な統制を経験した。伝染病の拡散を防ぐための超法規的な統制は西洋の民主主義国家でも実施され、中国と一部のアジア国家ではＩＴ技術を活用した積極的な統制も行われた。安全・生命のための統制ではあったが、統制の効果を見た政府が今後誘惑に負けないという保証はない。牽制と透明性が十分に確保されない国家において、ディストピアは現実化しやすい。

ディストピアは漠然とした未来の話ではない。過去にも存在し、現在も存在している。ディストピアとは、全体主義的な政府によって抑圧され統制された社会を指す。ジョン・スチュアート・ミル（John Stuart Mill）が１８６８年、イギリス議会でイギリス政府のアイルランド抑圧政策を批判する際に、この言葉を初めて使ったと言われている。小説、映画、漫画などで未来を描く際の一般的な設定がディストピアだ。ディストピアの代表的小説オルダス・ハクスリーの『すばらしい新世界』（１９３２）とジョージ・オーウェルの『１９８４年』（１９４９）は、数多くのＳＦ映画で描かれたディストピアの背景に影響を与えているとみられる。

漫画ではＤＣコミックスの『Ｖフォー・ヴェンデッタ』（V for Vendetta, 連載期間１９８２〜１９８９）が有名で、２００６年には映画化され世界的なヒットを収めている。前述した二つの小説がイギリスの作家の作品であることは既に述べた。この漫画もイギリスの漫画家デヴィッド・ロイドとイギリスの漫画原作者アラン・ムーアの作品だ。16世紀から本格化したイギリス帝国主義の全盛期は19世紀から20世紀初めである。

世界中で植民地支配をしていたイギリス帝国が、植民地で行っていた政策がディストピア社会の姿だ。現代では中国がディストピア社会に近いと言われている。シンガポールも同様だ。権力が堅固で独裁に近いほど、ディストピアは現実になる。

韓国も軍事独裁政権下で経験したことだ。かつては物理的な力と軍事力を基にした公権力による統制だったが、現代はＩＴ技術による統制が台頭している。人との対面が減っても回る社会において、便利なデータや技術による管理は、悪用すると統制になる。超連結社会、アンコンタクト社会、第四次産業革命の社会、人工知能社会、何と呼ぶにせよ過去に比べてディストピアの憂慮があるのは同じだ。

アンコンタクト社会への転換過程にある現代社会では、ディストピアに対する憂慮の解消方法の模索が重要な課題となる。牽制と透明性をアンコンタクト社会の中核に据えるべき理由もまさにこれだ。

対面は何でも非効率的で、非対面は全て良いのだろうか？　そんなことはない。しかし費用対効果を考えれば、アンコンタクト社会では非対面サービスを拡大させるしかない。その場合、対面サービスはさらに高額になる。当然、富裕層に特化した対面サービスが残ることになるだろう。対面と非対面の選択ができるのは富裕層だけである。私たちは極端なアンコンタクト社会を目指すのではない。適切なアンコンタクト社会を望んでいる。

第3章の扉の図（227頁）のようにBからCに移動するのだ。個々人の断絶と共同体の崩壊など決して望んでいない。全ての雇用がロボットや人工知能に取って代わることを望んでいるわけでもない。私たちはこれからもつながり続け、コミュニケーションをとり、ともに生きていかなければならない。気候変動や雇用、生命や人権といった共同問題を解決し、共存しなければならない。ＩＴ産業の進化のために私たちが存在しているわけでもなく、先端技術文明による便宜を享受すること自体を目的としているわけでもない。人が中心となる社会を望むのは、コンタクト社会でもアンコンタクト社会でも同じだ。

私たちはコンタクト社会に生まれた。これまでずっと人々と対面し、コミュニケーションをとりながら生きてきた。より完全にコンタクト社会に適応している中高年世代こそ、アンコンタクト社会において新しく適応すべきことが多くなる。その過程では、アンコンタクト・ディバイドやデジタル・ディバイド、人工知能・ディバイドなどが表面化するだけでなく、関係に対する断絶や疎外現象も現れる。ただでさえ孤独が疾病につながる孤独な社会になる中で、アンコンタクト社会が孤立と孤独感を一層深める恐れもある。アンコンタクト社会に生まれた人々とのコミュニケーションの問題も考える必要がある。人との対面で培ったコミュニケーションではなく、機械とのコミュニケーションに慣れ親しんで育った彼らが人とのコミュニケーションにおいて引き起こす問題も、今後の社会的リスクになる。人間関係の文化が変われば、共同体や社会の維持にも影響を与えるものだ。技術では解決できない問題がある。

アンコンタクト社会は予告された未来ではあるが、新型コロナウイルスの突然の登場によって転換のスピードが一気に速まってしまった。準備が整っていない状況でアンコンタクト環境を導入することも多かった。こうした状況がアンコンタクトの抱える問題を急激に表面化させることにもつながった。

コロナ収束後の社会では、人間の疎外や新たな葛藤、差別、リスクといったアンコンタクト社会の問題に本格的に対応すべきである。いつかは進むべき道だったが、その時期が早まり、スピードが速まった。すでに始まっているアンコンタクト社会、私たちはその中で問い続け、答えを探し続けなければならない。始まったばかりなのだから。

訳者あとがき

本書は「パブリオン」が刊行したキム・ヨンソプ著『アンコンタクト』の全文を翻訳したものである。本が出版された2020年4月20日は、世界中で新型コロナウイルスが猛威を振るっていた。一方で、世界に先駆けて同ウイルスの爆発的な感染拡大をみせた韓国は、2015年のMERS感染拡大の教訓をもとに、選別診療所やドライブスルー検査を導入するなどして、第一波を抑えている。ちょうど韓国が、いわゆる「新しい生活様式」にあたる「生活防疫」に移行する時期に出版された本書は、10代から50代までの幅広い層から支持され話題になった。

キム・ヨンソプ氏は、サムスン電子や現代自動車といった韓国を代表する大企業及び政府機関で数えきれないほど多くの講演やコンサルティングプロジェクトを行うかたわら、テレビ・ラジオにレギュラー出演し、新聞のコラムニストとしても活躍するトレンドアナリストである。韓国ではその名を知られた存在だ。

しかし意外にも、著者の日本での刊行書は本書が初であった。本文をご覧いただければ分かるように、日本のトレンドについても造詣が深い。

彼は2019年10月に刊行された『ライフトレンド2020：弱い絆』でも、日本文化から始まったトレンドについて触れている。例えば、高級すし店でよく見られる「おまかせ」文化は、日本から韓国にも広まったという。有名シェフやバリスタの専門性と知名度を重視し、未知なる食材にも挑戦することで志向をより豊かにしたいと思う消費者が増えた。食事に対し、文化的な経験としての価値を見出すようになったのだ。韓国消費者のベクトルが自分自身に向けられるようになったことを示している。

２０１９年から始まった日本不買運動についての分析もある。日本の韓国に対する貿易規制をきっかけとした不買運動は、消費者団体などが主導していたかつての不買運動とは性質が異なる。韓国の中で日本に対する好感度が最も高いはずの20代を中心に広がっているという。トレンドに敏感なミレニアル世代にとって、以前の日本はトレンドの拠点だった。しかし現在は、韓国内にも魅力的な場所や商品が増えている。そのため相対的に日本に対する興味が薄れ、自国の商品に対する関心や自国に対するプライド、愛国心が強化されたという。その上、２０２０年にはオリンピックの開催が予定されていた。各国代表が国の威信を懸けて闘う、この祭典も愛国心を高める要素としては十分だった。

本書でも言及されている通り、ある意味で家族以上に深かった韓国における職場内の絆が、現代になって急速に弱まっている。副業すら許されるようになったミレニアル世代・Z世代の会社員の中には、個人の志向を表現したいという欲求からユーチューバーとして活動する人も増えた。現代の10〜20代は、組織的なオフラインの集会においては力を発揮することが難しくても、ＳＮＳやユーチューブを通した「弱い絆」の強い力で世論を動かすことはできる。

歴史や政治の問題で対立も多い日韓両国は、何か問題が起こるとお互いに感情的になりやすい。だが、そこにあるのは感情の問題だけではない。若者の日本不買運動に、オリンピックやユーチューバー、職場の変化やミレニアル世代の志向といった背景があったとは。軽い響きのある「トレンド」が、お堅い政治や経済と密接に関係しているということに驚かされた。もしかすると、著者の視点で見た両国のトレンドの先には、現在起きている政治的な問題解決の糸口もあるかもしれない。日本人読者が同作を読める日がくることを願う。

ここで少し、本書翻訳の経緯をお話しできればと思う。始まりは一本の電話だった。5月18日の午前10時頃、発信者は韓国専門出版社クオンの金承福社長だった。ちょうど1週間前の5月11日にクオンから出版された『新型コロナウイルスと闘った、韓国・大邱の医療従事者たち』の原稿についての最終連絡を終え、ほっと一息ついていたところに入った電話だ。

「『アンコンタクト』の翻訳者として渡辺さんを推薦したいんだけど、できそう？」

韓国で最も新型コロナウイルスの被害が大きかった大邱の、一番苦しかった時期のことをつづったエッセイ集翻訳に参加した直後に、アフターコロナの展望を見せる『アンコンタクト』を訳せるなんて、二度とないチャンスである。

「できます、やりたいです！」私は二つ返事で答えた。

本書では変化やデジタルに対して「適応力がある」と紹介されているミレニアル世代であり

ながら、根っからのアナログ人間である私にこの本の翻訳ができるだろうかという不安がよぎらないわけではなかったが、そんな私でも読みながらワクワクしてくる本書の魅力を自分の手で伝えたいという気持ちの方が勝った。

その日の午後には編集者から正式なメールが届き、早速翻訳作業が始まった。翌週には第1弾の原稿を送ってズームで打ち合わせをし、続きの翻訳を進めながら韓国にいる著者に日本の読者向けの序文執筆を依頼して原稿を受け取るなど、フルスピードで仕事を進めた。スマホを買うにも店員さんとマンツーマンで、意味も分からず言われるがままに無駄なオプションまでつけて知人に笑われ、パソコンが故障すれば自分までフリーズしてしまうような私だが、それでも確かに、スマホとパソコンさえあればどこでも働けるアンコンタクトライフを送っていると実感しながら。

アンコンタクトは確かに便利であり、程度の差はあれ、いまや私たちの生活に浸透している。本書の内容はどれも納得のいくものだ。しかし本音を言えば、他人との対面が減っていく日常は少し味気ない気もするし、AIを使った自動翻訳が発展している現状に対し、翻訳者として危機感もおぼえている。抵抗まではしないけれど、気後れする部分はある。

恐らく本書を自ら手に取る方々は、私以上にアンコンタクトを活用し、トレンドの変化にも敏感なタイプだろう。アーリーアダプター的な要素もあるかもしれない。個人的には、そんな読者の皆さんが、自分の周りにいる私のようなアナログ人間に本書を推薦してくれたらと願う。

本書には、現代を生きる全ての人の目の前に迫る現実的な未来が描かれているから。

コロナはなかなか手強い。一度収束したと見られた国でも、同ウイルスは息を吹き返しつつある。

「K防疫」として世界から注目される存在になった韓国でも、5月初旬には日本でいう六本木にあたる梨泰院《イテウォン》のナイトクラブでクラスターが発生し、その後も新規感染者を増やしている。とはいえ、1日の新規感染者数は全国的に見ても二桁に止まっているので、比較的コントロールに成功していると言えるのではないだろうか。

有事の時の団結力と、せっかちともいえる対応の速さは韓国の強みだ。それに加えて何でも楽しんでしまうノリのよい国民性が事態の好転に一役買ってくれるだろう。感染が一気に広まり大変だった2~4月でも、「外出自粛で特殊能力を身に着けたよ！　つり革につかまらなくても立てる能力と、混んでいるエレベーターを横目に、迷いなく階段を上れる能力」「おうち時間が増えたから『確診者《ファッチン》(感染が確認された人)』にはならなかったけど、『思いっきり太った者《ファッチン》』になっちゃった」と笑える韓国人のユーモアセンスは長所だと思う。

著者が「日本の読者に向けて」で語っているように、日本と韓国の国民性は違えど、影響を与え合っている部分が多い。いまや、韓流「ブーム」という表現に違和感をおぼえるほど、韓国の食もエンターテインメントも一つのジャンルとして日本に定着した。韓国における日本文化も同じである。著者が言及した『ＡＫＩＲＡ』の予言は、韓国でもリアルタイム検索で上位になるほど話題になった。

こうして日本と韓国が歴史的・政治的な火種をもちながらも密接につながっているように、私たちは世界中のあらゆる国とつながっている。本書にもあったように、私たちは連結を望んでいる。そのための手段がアンコンタクトなのだ。

図らずも、新型コロナウイルスの恐怖で経済が止まった世界の空は大気汚染が劇的に改善し、澄み渡った。そんなきれいな空の下、遠くない未来でチャンスをつかむためのヒントが詰まった本書が多くの読者に光を灯すことを願って、あとがきを終えようと思う。

本書刊行にあたっては、依頼の翌日に「日本の読者に向けて」を寄稿してくださるなど、意欲的に日本語版『アンコンタクト』にご尽力いただいた著者のキム・ヨンソプ氏と、原書をご紹介くださったクオンの金承福社長、日本語版制作にあたって細やかな配慮をしてくださった小学館出版局の柏原航輔氏の他、多くの方々のお力添えがありました。出版にあたり感謝の念をお伝えしたいと思います。

２０２０年７月吉日

渡辺麻土香

参考文献

第1章 ヒトはつながりたい動物である ——生活・性愛・コミュニケーション

・「マスクキス」コロナ禍での愛し方? 陽性患者の行動履歴公開も「怖い」/2020年3月3日/News1
・チークキスでヨーロッパのコロナ陽性患者が激増?…フランス・スイス政府が自制を要請/2020年3月1日/ソウル経済
・1万人当たりの「コロナ患者」大邱では16人…全国平均は1人なのに/2020年3月4日/ニューシス
・映画『デモリションマン』の中のサイバーセックス、リアルドールが来年実現/2016年8月27日/中央日報
・握手の終焉? 新型コロナウイルスが変えるグローバル・ヴィレッジの挨拶法/2020年3月4日/コメディドットコム(kormedi.com)
・「自宅隔離者は引っ越せ、子ども登校させるな」行き過ぎたMERSの恐怖/2015年6月19日/毎日新聞
・日本人はなぜPM2.5が普通レベルの日にもマスクをするのか?/2018年5月28日/韓国経済
・「イ・ジュヒャンの絵で読む哲学」(18) ルネ・マグリットの「恋人たち」/2011年5月1日/京郷新聞
・[西小門写真館] 悪名高きトランプ握手法に対するプーチンの次の手は?/2018年7月17日/中央日報
・トランプ―メルケル、ついに「握手」海外メディア「驚いた様子だった」/2017年7月7日/ハンギョレ
・「握手しましょうか」メルケルの問いをトランプは黙って無視…気まずい初対面/2017年3月18日/聯合ニュース
・韓国在留外国人236万人…前年比8.6%増/2019年5月28日/聯合ニュース
・金正恩「3回ハグ」、ビズなのか、兄弟のキスなのか/2018年5月28日/ノーカットニュース
・グータッチ・握手・ハイタッチ…衛生上最も危険なのは/2014年7月29日/聯合ニュース
・レイズ、新型コロナウイルス予防のためハイタッチ、握手禁止/2020年3月3日/スポーツ京郷
・握手の代わりに目礼…「コロナのマナー」拡散/2020年2月3日/KBS
・キャッシュレス化するスウェーデン…紙幣が変わったことさえ知らない/2019年12月13日/毎日経済
・モディ首相の「キャッシュレス実験」狙い通り…インド、再び7%台の成長/2018年5月8日/韓国経済
・人間が招いたウイルスの逆襲/2020年3月7日/京郷新聞
・企業の「ソーシャルディスタンス」拡散/2020年3月5日/ネイル新聞
・ミレニアル世代がセックスを避ける理由は?…スマートフォンも原因の一つ/2016年8月3日/ニューシス
・韓国の若い女性たちの性関係が10年前より減少/2017年9月19日/メディカルトゥデイ
・1人席・テイクアウト…カフェテリアが変わった/2019年8月5日/毎日経済
・「一人焼肉店」に行ってみた…サムギョプサルデーには、ここが一番/2017年3月1日/オーマイニュース
・会社に行く甲斐がある…ミレニアル世代に合わせたカフェテリアの変身/2020年1月16日/東亜日報
・元祖はこちら! 日本の孤食文化をのぞき見る/第1284号(2016年12月16日)/日曜新聞
・科学者らが警告、「気候変動が伝染病の拡散を招く」/2020年2月25日/グリーンピース
・より恐ろしい伝染病襲来の可能性…このままではまたやられる/2020年3月7日/京郷新聞
・人類はウイルス攻撃で絶滅するのか?/2020年2月23日/東亜日報
・WHO最高レベルの警報「パンデミック」とは、どんなものなのか?/2020年3月12日/News1
・2018 HIV/AIDSの申告現況/2019年8月/週刊健康と疾病(疾病管理本部疾病予防センター)第12巻(第33号)
・『今時の子たち、今時の大人たち:大韓民国の世代分析報告書』(キム・ヨンソプ著、21世紀ブックス、2019)
・在留外国人の現況/e-国家指標(統計庁)
・当代最高の女優と30年以上手紙だけで恋愛/2011年11月14日/チャンネルYES

・http://ch.yes24.com/Article/View/18699
・The 2019 report of The Lancet Countdown on health and climate change: ensuring that the

health of a child born today is not defined by a changing climate, November 13, 2019, The Lancet
・https://www.ncbi.nlm.nih.gov/pmc/articles/PMC6632117
・Forecasting Zoonotic Infectious Disease Response to Climate Change: Mosquito Vectors and a Changing Environment, Volume 6 (2); 2019 Jun, Veterinary Science M Masks and kisses: Philippine couples brave virus to exchange vows, February 21, 2020, REUTERS
・http://www.bacolodcity.gov.ph/articles/bacolod-mass-wedding-996
・https://www.youtube.com/watch?time_continue=2&v=6Af6b_wyiwl&feature=emb_logo
・Swapping kisses for elbow bumps. The bizarre ways that coronavirus is changing etiquette, March 3, 2020, CNN
・The fist bump: A more hygienic alternative to the handshake, August 2014 (Volume 42), American Journal of Infection Control
・Why more millennials are avoiding sex, 2016.8.2, Washington Post
・Are young men really having less sex?, 2019.4.10, BBC
・Sexual Inactivity During Young Adulthood Is More Common Among U.S. Millennials and iGen: Age, Period, and Cohort Effects on Having No Sexual Partners After Age 18, 01 August 2016, The journal Archives of Sexual Behavior
・Why Are Young People Having So Little Sex?, 2018.12, The Atlantic
・What predicts masturbation practices? (http://relationshipsinamerica.com/relationships and-sex/what-predicts-masturbation-practices)

第2章 危機かチャンスか ——ビジネス・教育・医療

・出勤せず在宅勤務をすることは、本当に寂しいのか?/2019年7月12日/Soda (donga.com)
・株主総会をアリがうごめく電子投票に/2020年2月17日/朝鮮ビズ
・一気に近づいた5G商用化…大陸間での『キングスマン』会議が開かれる/2019年3月5日/中央日報
・新型コロナウイルスでグローバルイベントのキャンセル相次ぐ…CESアジアも延期/2020年3月10日/ソウル経済
・Eラーニングを革新するエデュテック、世界が注目する教育の変化/2020年3月12日/IT東亜
・日本では時価総額1兆円以上の会社の95%が電子投票を実施/2020年2月17日/朝鮮ビズ
・[コロナが変えた企業文化] ②株主総会、電子投票はもはや「必須」/2020年3月4日/亜洲経済
・[グローバルコラム] 相次ぐITイベントの中止、WWDC2020も決断を下す時/2020年3月4日/ITworld
・コロナ禍で共同作業及び在宅勤務を改めて見直す企業各社/2020年3月4日/ITworld
・「新型コロナウイルスを憂慮」… Google I/Oまで 大規模イベント続々中止/2020年3月4日/マネートゥデイ
・[イシュー分析] 新型コロナウイルスで株主総会に不安、正常開催に疑問…電子投票が急浮上の可能性/2020年2月27日/電子新聞
・在宅勤務の副作用が過労? テレワークの「明と暗」/2020年2月28日/CIO Korea
・アップル、WWDC2020オンラインで実施/2020年3月14日/ZDnet Korea
・新型コロナウイルスが大学に投げかけたメッセージ…「変わらなければ生き残れない」/2020年3月14日/ZDnet Korea
・コーセラ、新型コロナウイルス対応で世界の大学に全面無料オンライン講義を支援/2020年3月13日/教授新聞
・「通信制」になった大学、来週の開校を控えて非常事態/2020年3月14日/朝鮮日報
・ジョンズ・ホプキンス大学、一足遅れて年間収益350万ドル達成へ…尋常ではない「ムーク」の変化スピード/2016年7月18日/教授新聞
・ミネルバ大学「今年初の卒業生が、進路ではアイビーリーグより成果あり」/2019年5月10日/朝鮮ビズ
・キャンパスのない大学、新たな教育モデルを提示/2019年9月29日/高大新聞

・世界が注目した「ドライブスルー」診療所、アメリカ・ドイツも導入／2020年3月10日／韓国日報
・コロナでコーヒーも非対面注文に…ドライブスルー・アプリ注文が急増／2020年3月10日／朝鮮日報
・ドライブスルー・出前など外食業界のアンタクト消費が増加／2020年3月9日／聯合ニュース
・「顧客と向き合うな」…配達の民族・ヨギヨ「アンタクト」注文に嬉しい悲鳴／2020年3月6日／ニュースピム
・トランプ政権、韓国の「ドライブスルー」ノウハウを要望／2020年3月8日／国民日報
・[キャッシュレス店舗「違法」論争]「消費者の決済権侵害」VS「時代の流れに逆らう規制」／1523号（2020年3月2日）／エコノミスト
・現在キャッシュレス社会を推進している各国の主要な問題と示唆点／2020年1月／韓国銀行発券局貨幣研究チーム
・アメリカの小売販売市場シェアで初めてオンラインがオフラインを上回る／2019年4月3日／ニューシス
・読書室ですか？　LG社内食堂のテーブルに仕切りを設置「コロナ予防」／2020年3月3日／朝鮮ビズ
・[新型コロナウイルス「克服」] モバイル新人教育に仕切り孤食…変化する企業風景／2020年3月4日／BizFact
・コロナで対面相談が閉ざされ「オンライン投資セミナー」が人気に／2020年3月7日／朝鮮ビズ
・「5メートル先に38度の高熱患者がいる」スマートヘルメットを使って巡回する中国の新警察／2020年3月7日／中央日報
・中国にはコロナ減少の理由があった…QRコードの力／2020年3月5日／テックプラス（blog.naver.com/tech-plus）
・相次ぐ患者発生でサムスン電子の亀尾第2事業所が閉鎖に／2020年3月7日／アジア経済
・現代・サムスン・LG…相次ぐ事業所の閉鎖に地域の製造業者の経営難「深刻」／2020年3月1日／慶北新聞
・新型コロナウイルスの拡散を受けスターバックスがオンライン株主総会…Google・ターゲットもイベントを中止／2020年3月5日／韓国経済
・新型コロナウイルスが引き寄せた株主総会の電子投票／2020年3月5日／国民日報
・CJ、全ての系列企業で「電子投票制」導入…「株主の利便性・安全を強化」／2020年3月5日／ZDnet Korea
・ヒューネット「社内教育のEラーニング転換依頼が殺到…1週間で40余カ所から要請が」／2020年3月5日／聯合ニュース
・「コロナが終わっても在宅勤務しろ」コロナによる企業の転身、なぜ？／2020年3月2日／中央日報
・ご祝儀はここに…新型コロナウイルスが作った「ドライブスルー」結婚式／2020年3月18日／京郷新聞
・米トランプ政権「韓国のドライブスルー診療をベンチマーキングしたい」／2020年3月8日／マネートゥデイ
・ドライブスルー全盛時代／2020年3月17日／韓国経済
・流通業界、フードデリバリーのスピード競争…コロナ禍が触発／2020年2月16日／朝鮮ビズ
・「EマートSSGの上昇気流の一方で…」ロッテマート、フルフィルメントセンター改装も「まだまだ」／2020年3月19日／BizFact
・Amazon Go無人計算技術を外部企業にも販売開始／2020年3月9日／ブロッター
・[キム・スンヨルのDT成功戦略] 銀行を始めたスターバックス／2020年3月16日／ブロッター
・「Amazon Go」の拡張版「ゴー・グロサリー」を開店／2020年2月26日／エコノミックレビュー
・[グローバル-Biz24] Amazonレジのない無人店舗で新たな風を起こす／2020年3月18日／グローバルエコノミック
・Amazon Go無人計算技術、オープンソースSWで提供／2020年3月16日／ブロッター
・アーリーアダプターが愛したサイレンオーダー、3回に1回は利用／2020年3月15日／中央日報
・「サイレンオーダー」世界中で旋風を起こす／2019年7月19日／ウィークリービズ
・酒もコーヒーのように「サイレンオーダー」…オンライン注文をして店頭で受け取る／2020年3月12日／中央日報
・スターバックスが「データビジネスの雄」になるまで…／2020年2月6日／ブロッター
・欧州の陽性患者数、中国を超える…パンデミックの新たな震源地に／2020年3月19日／韓国日報
・[中国ビジネストレンド&動向] 中国全域で公共交通実名制が実施される理由／2020年3月9日／Platum

・中国の顔認識技術、1～5位を独占「最強覇者」に／2018年11月30日／ハンギョレ
・2018スポーツ産業実態調査／2019年2月／文化体育観光部
・2020年1月のオンラインショッピング動向／2020年3月／統計庁
・［イム・ジョンウクの革新経済］新型コロナウイルスがもたらした変化／2020年3月1日／ソウル新聞
・イーマート自動走行配送サービス試行開始／2019年10月15日／聯合ニュース
・危機をチャンスに…非対面自動運転サービステストに拍車／2020年3月4日／亜洲経済
・Amazon、戦車タイプの配送ロボットで特許取得／2020年1月23日／ロボット新聞
・Amazon、自動走行配送ロボットスタートアップのディスパッチを買収／2019年2月8日／ロボット新聞
・NURO自律走行型配送車両に道路走行許可／2020年2月10日／ロボット新聞
・世界の大企業85%が導入の見通し…韓国のRPA市場も活性化／2019年4月14日／亜洲経済
・キム代理の同僚は「ロボット」…ロボットによる業務自動化を導入する各社「なぜ?」／2020年2月27日／女性消費者新聞
・［崩れていく労働］AI・ビッグデータで全過程を自動化…「人員を80人減らしても生産量は2倍以上に増加」／2020年1月13日／京郷新聞
・現代自動車、1万5000人退職しても…追加の雇用計画が全くない理由／2020年1月23日／中央日報
・ロボットに取って代わられる業務、どこまで…RPAスピードを上げる金融業界／2019年9月11日／デジタルデイリー
・カード会社のAI相談ロボット、顧客100人同時対応で問い合わせ処理／2019年10月4日／毎日経済
・従来のスポーツは「オールストップ」、eスポーツに関心高まる／2020年3月24日／京郷ゲームス
・ラ・リーガFIFA20大会優勝チームはレアル・マドリード／2020年3月23日／国民日報
・「サッカーが恋しい」ベティスとセビージャの選手がゲームで対決6万人が観戦／2020年3月17日／スターニュース
・「Kリーグ・インターネット・トーナメント」のために選手の全数調査まで?／2020年3月23日／スポーツジーニアス
・新型コロナウイルスの影響で世界のモバイルゲームのダウンロード数が39%増／2020年3月10日／IT朝鮮
・新型コロナウイルスでゲーム需要増加も…スチームのバグは「下降傾向」／2020年3月23日／IT朝鮮
・「コロナ」拡散の影響でスチーム同時接続者数が2000万人突破／2020年3月22日／IT朝鮮
・「コロナパンデミックを食い止めろ」人間の代わりにロボット、君に任せた／2020年3月26日／朝鮮日報
・Amazon、昨年買収したオンライン薬局「ピルパック」に「Amazon」ブランドをつける…／2019年11月16日／聯合ニュース
・Amazon、自社ブランドの処方薬ビジネス国際化に向けて本格始動／2020年1月22日／聯合インフォマックス
・［遠隔医療の国内外の温度差］①世界市場、2025年156兆の疾走／2019年10月14日／ニューストマト
・コロナ後の世界…「『FANG』の支配力がさらに強まる」／2020年3月24日／イーデイリー
・「新型コロナウイルスのバタフライ効果」クラウドサービスは今「負荷テスト中」／2020年3月25日／IT World
・SKT朴正浩社長「『テレコム』を外し『SKハイパーコネクター』への社名変更を推進」／2020年1月9日／中央日報
・SKT朴正浩社長「新型コロナウイルス、非対面社会への転換チャンス」／2020年3月26日／ブロッター
・「2019経済活動国勢調査―労働形態別付加調査」／統計庁
・『第三の波（The Third Wave）』（アルビン・トフラー著、1980）
・『ライフトレンド2019:ジェンダーニュートラル』（キム・ヨンソプ著、ブッキー、2018）
・『ライフトレンド2020:弱い絆』（キム・ヨンソプ著、ブッキー、2019）

・Global mobile gaming downloads surge, 04 MAR 2020, mobileworldlive
・Combating COVID-19—The role of robotics in managing public health and infectious diseases, 25 March 2020（VOL 5, ISSUE 40）, SCIENCE ROBOTICS
・SMART CITIES: DIGITAL SOLUTIONS FOR A MORE LIVABLE FUTURE, June 2018,

McKinsey Global Institute
・Japan opens world's first drive-through funeral service, 16 December, 2017, The Telegraph
・Apple Pay Overtakes Starbucks as Top Mobile Payment App in the US, October 23, 2019, eMarketer
・In Coronavirus Fight, China Gives Citizens a Color Code, With Red Flag, March 1, 2020, NewYorkTimes
・Global Remote Working Data & Statistics, Updated Q1 2020, Merchant Savvy
・Top global industries leading the way in remote work, October 31,2018, workplaceinsight
・https://workplaceinsight.net/top-global-industries-leading-the-way-in-remote-work/
・Almost a third of employees are willing to take a 10pc pay cut if it meant flexible working conditions, survey finds, October 25, 2019, independent Ireland
・https://www.independent.ie/irish-news/news/almost-a-third-of-employees-are-willing-to-take-a-10pc-pay-cut-if-it-meant-flexible-working-conditions-survey-finds-38630478.html
・The Deloitte Global Millennial Survey 2019, Deloitte
・https://ourworldindata.org/mental-health

第3章 ディストピア化する世界 ――共同体・宗教・政治

・ワンテーブルレストラン・内輪の展示会…プライベートエコノミーが盛んに／2020年3月15日／毎日経済
・ルームサービスパッケージにドライブスルー商品まで…ホテル業界の「あがき」／2020年3月23日／毎日経済
・それでも展示は続ける…パラダイスアートスペース／2020年3月3日／毎日経済
・コロナの恐怖でデパートのブランド品もオンライン購入／2020年3月20日／朝鮮ビズ
・休業、また休業…コロナショックでデパートの売上1000億台続出／2020年3月16日／ニューデイリー経済
・信じられるものはVIPだけ…コロナ禍の生きる道を探すデパート／2020年3月23日／朝鮮日報
・『パラサイト 半地下の家族』モノクロ版、さらに強烈になった黒と白…名場面「三つ」／ 2020年2月24日／中央日報
・宗教団体の強敵は伝染病…1カ所に集まれなければ権力を失う／2020年3月7日／中央サンデー
・[コラム] コロナ時代の憂鬱、その向こうの衝撃／2020年3月5日／ノーカットニュース
・米大統領選予備選挙の延期続出…オハイオ州の投票8時間前に「中止」／2020年3月17日／ノーカットニュース
・米大統領選を飲み込んだ新型コロナウイルス…「ウイルス危機が選挙の勢力図を揺るがす」／2020年3月14日／聯合ニュース
・旅行会社ひと月の予約0件に／2020年3月6日／朝鮮日報
・出前・宿泊・医療まで…産業に広がる「アンタクト」ブーム／2020年3月21日／ブロッター
・「レストランに客はいないと言っていたのに…ホテルのレストランの個室に空きはありません」のなぜ?／2020年2月28日／News1
・韓国情報化振興院キム・ボンソプ研究委員「情報格差、不便さが不利益になった」／1370号(2020年3月30日)／週刊京郷
・だんだん便利になる世の中、それゆえに不便になる人たち／1370号(2020年3月30日)／週刊京郷
・「2019年のデジタル情報格差実態調査」／2020年3月／韓国情報化振興院(科学技術情報通信部)
・「2019年のインターネット利用実態調査」／2020年2月／韓国情報化振興院(科学技術情報通信部)
・マスク、若者が「クリック連打」で確保する間に2時間並ぶ高齢者…コロナで二度泣く高齢者たち／2020年3月2日／中央日報
・65歳以上人口800万人突破…平均年齢42.6歳「高齢化が加速」／2020年1月12日／聯合ニュース
・カトリック、ミサ中止期間の延長決定相次ぐ…新型コロナウイルス余波／2020年3月11日／News1
・カトリックのミサは全て中止…236年の歴史上初／2020年2月26日／中央日報

・ホモ・サピエンス 年齢は35万年／2017年9月29日／サイエンスタイムズ
・[2012米大統領選挙] 大統領選挙献金額20億ドル超え／2012年10月27日／LA中央日報
・「破天荒で目立つ」…「B級感」で有権者を刺激／2020年3月29日／毎日経済
・2008年オバマ当選に「ビッグデータ」が大きく貢献／2017年4月29日／ハンギョレ
・一歩進んだ米大統領選SNS選挙運動／2012年2月15日／ブロッター
・オバマのEメールに隠された科学／2012年12月26日／エスティマのインターネットの話
・細かなプライバシーまで流出、IoTハッキング…「超連結時代、対応を徹底すべき」／2019年1月31日／デジタルデイリー
・グーグルが人工知能スピーカーを贈呈する「本当の理由」／2020年3月26日／東亜ドットコム
・声を盗み聞きするAIスピーカー…プライバシー侵害を巡る議論／2019年10月2日／デジタルマネー
・SKインフォセック、来年の脅威の展望を発表…「スマート工場のセキュリティに注意すべき」／2019年12月9日／インザニュース
・「超連結」時代、技術が発展するほど高まるセキュリティの脅威／2020年1月8日／フィナンシャルトゥデイ
・[テックレポート] ぐっと近づいた日常、超連結時代／2020年1月14日／電子新聞
・科学技術発達のパラドックス…準備ができていない第四次産業革命の行く末はディストピア／2019年11月7日／韓国経済
・G20貿易相、今夜の緊急会談…グローバルサプライチェーンの維持協力／2020年3月30日／ニュースピム
・G20共同声明「コロナの共同脅威に連合対応…あらゆる措置をとる」／2020年3月26日／VOA Korea
・10年のカクテルパーティーを終えたパンデミック／2020年3月28日／エコノミスト
・韓国経済の対外依存度、4年ぶり最高水準に…「世界的な景気減速で打撃の恐れ」／2019年3月31日／韓国経済
・「顔のない」非対面社会の二つの顔／2020年3月15日／京郷新聞
・コロナの両極化…チャーター機市場は好況、下層労働者は解雇急増／2020年3月13日／朝鮮日報
・感染にも貧富の差…ヨーロッパの富裕層は危険を脱して「別荘隔離」／2020年3月30日／毎日経済
・OECD主要国のGNIに占める輸出入比率（1995〜2018）／国家指標体系（www.index.go.kr）
・LG電子CTO朴日平社長、「人工知能発展段階（Levels of AI Experience）」を提示／2020年1月7日／Social LG電子（LG電子公式ブログ）
・「2020年セキュリティ脅威の展望報告書」／2019年12月／SKインフォセク
・「デジタル・ディバイドの実態―高齢者世帯のメディア保有機器と活用能力の差を中心に」／19-21号（2019年11月15日）／情報通信政策研究院
・「2018年農林漁業調査結果」／2019年4月／統計庁
・『ライフトレンド2018:とっても素敵な偽物』（キム・ヨンソプ著、ブッキー、2017）
・『ライフトレンド2020:弱い絆』（キム・ヨンソプ著、ブッキー、2019）
・『スピノザの哲学（邦題:『スピノザ―実践の哲学』鈴木雅大訳、平凡社、1994）』（ジル・ドゥルーズ著、パク・ギスン訳、民音社、2001）

・EstimaStory.com　https://estimastory.com/2012/12/26/obamaemail
・https://social.lge.co.kr/newsroom/lg_aie_0107

Second thoughts: toward a critique of the digital divide, DAVID J. GUNKEL, New Media & Society 5 (2003)

The Memo: Virus crisis upends political world, 2020.3.13, The Hill World Malaria Report 2017, 2017, WHO https://ourworldindata.org/tourism

著者　**キム・ヨンソプ 김용섭**

トレンド分析専門家。　経営戦略コンサルタント。「鋭い想像力研究所」所長。サムスン電子、現代自動車、LG、GS、CJ、SK、Lotteなどの大企業や韓国政府の企画財政部、国土交通部、外交部などで2000回以上の講演、ビジネスワークショップを実施した。著書に、『ペンスの時代』『今時の子たち、今時の大人たち』『トレンドヒッチハイク』『大韓民国デジタルトレンド』などがある。本書が初の邦訳となる。

訳者　**渡辺麻土香　わたなべまどか**

韓国語翻訳家。神奈川県横浜市出身。東京女子大学現代文化学部在学中に韓国語に出会う。卒業後、一般企業を経て、韓国語学習を再開。現在は、バラエティー番組の字幕翻訳および書籍翻訳を行う。訳書『マンガで学ぶ恐竜の生態』（マイナビ出版）ほか。

アンコンタクト　非接触の経済学

2020年9月14日　初版第一刷発行

著者	キム・ヨンソプ
訳者	渡辺麻土香
発行者	飯田昌宏
発行所	株式会社小学館 〒101-8001　東京都千代田区一ツ橋2-3-1 編集 03-3230-5959　販売 03-5281-3555
DTP	株式会社昭和ブライト
図版	infographics 4REAL
装幀	水戸部 功
印刷所	萩原印刷株式会社
製本所	株式会社若林製本工場

造本には十分注意しておりますが、印刷、製本など製造上の不備がございましたら
「制作局コールセンター」（フリーダイヤル0120-336-340）にご連絡ください。
（電話受付は、土・日・祝休日を除く9時30分〜17時30分）
本書の無断での複写（コピー）、上演、放送等の二次利用、翻案等は、
著作権法上の例外を除き禁じられています。
本書の電子データ化などの無断複製は著作権法上の例外を除き禁じられています。
代行業者等の第三者による本書の電子的複製も認められておりません。
©MADOKA WATANABE 2020
Printed in Japan　ISBN978-4-09-388784-7